하루 한 장 60일 집중 완성

교 과도형

초3

C3

원

에듀 히어로
Edu HERO

"진짜 히어로는 우리 아이들입니다!"

에듀히어로는
우리 아이들이 밝고 건강한 내일을 꿈꿀 수 있도록
긍정적이고 효과적인 교육 서비스를 제공하는 것을
최우선 목표로 하고 있습니다.

그 존재만으로도 든든한 히어로처럼 아이들의 곁에서 힘이 되어주고,
나아가 아이들 각자가 스스로의 인생 속 히어로가 될 수 있도록

우리는 진심과 열정을 다해 아이들과 함께 할 것을 약속 드립니다.

네이버 카페

교재 상세 소개와 진단 테스트
및 유용하게 풀 수 있는
학습 자료를 다운로드 해 보세요.

인스타그램

에듀히어로 인스타그램을
팔로우하시면 다양한 이벤트와
신간 소식을 빠르게 만나보실
수 있습니다.

TALK 카카오톡 채널

자녀 수학 공부 상담 및
자유로운 질문을 남겨 주세요.
함께 고민하고
답변해 드리겠습니다.

히어로컨텐츠 HEROCONTENTS

발행일: 2024년 3월   **발행인:** 이예찬

기획개발: 두줄수학연구소

디자인: 4BD STUDIO   **삽화:** 1000DAY

발행처: 히어로컨텐츠

주소: 서울특별시 금천구 서부샛길 632, 7층(대륭테크노타운5차)

전화: 02-862-2220   **팩스:** 02-862-2227

지원카페: cafe.naver.com/eduherocafe   **인스타그램:** @edu__hero

하루 한 장 60일 집중 완성 교과도형은 ⋯⋯⋯⋯⋯⋯⋯⋯⋯⋯⋯⋯⋯⋯⋯⋯⋯⋯⋯

달라진 교과서와 학교 수업 진도에 맞추어 학습자가 체계적으로 도형을 학습할 수 있도록 안내합니다.

이전의 도형 학습이 도형의 정의와 성질을 외우고, 도형의 측정결과를 계산하는 '결과' 중심의 학습이었다면 지금의 도형 학습은 공간에 대한 이해와 해석(공간감각)을 바탕으로 모양을 인식하고 변화를 유추하고 다양한 방법으로 도형을 측정하고 그 결과를 표현하는 '과정' 중심의 학습입니다.

교과도형은 수학교육의 변화와 핵심을 이해하고 올바른 방향을 제시해 주는 든든한 길잡이가 될 것입니다.

하루 한 장 60일 집중 완성 교과도형은 ⋯⋯⋯⋯⋯⋯⋯⋯⋯⋯⋯⋯⋯⋯⋯⋯⋯⋯⋯

1 공간감각 2 도형표현 3 도형측정을 중심으로 교과서에서 다루는 모든 도형을 체계적으로 학습합니다.

공간감각
도형을 효과적으로 학습하기 위해서는 공간을 이해하고 해석하는 능력, 즉 '공간감각'이 필요합니다.

공간감각은 경험과 상상력을 바탕으로 머릿속에서 도형을 조작하고 결과를 유추하는 능력입니다. 공간감각은 단시간에 길러지지 않으므로 어릴 때부터 꾸준하게 학습하고 구체적인 경험을 쌓는 것이 중요합니다.

'교과도형'의 각 권 마지막에 있는 '도형플러스'는 각 권의 학습목표와 연계하여 공간감각을 한 단계 더 높여줄 수 있는 내용으로 구성하였습니다.

도형표현
공간에 존재하는 도형은 표현되었을 때 더 큰 의미를 가집니다.

- 삼각형을 찾는 것에서 그치지 않고 다양한 삼각형을 직접 그려 보고 왜 삼각형인지 설명하는 것
- 쌓기나무로 만든 모양을 위치와 방향을 이용하여 설명하는 것
- 도형을 여러 가지 기준과 특징에 따라 분류하고 왜 그렇게 분류했는지 설명하는 것
- 도형을 위·앞·옆에서 바라보고 그 모습을 그림으로 표현하는 것 등이 모두 '도형표현'입니다.

'교과도형'은 도형과 관련한 작은 그림에서부터 서술형 문장제까지 도형을 표현하는 다양한 방법을 효과적으로 학습합니다.

도형측정
측정은 도형과 아주 밀접한 관계가 있으므로 도형을 학습하면서 반드시 함께 다루어야 하는 영역입니다.

길이, 각도, 둘레, 넓이, 부피 등 흔히 '도형' 영역이라 생각하는 것이 사실 초등 교육과정에서는 '측정' 영역에 해당합니다. 사각형을 학습하는 것은 도형이지만 사각형의 둘레와 넓이를 구하는 것은 측정입니다. 각의 종류를 학습하는 것은 도형이지만 각도를 재는 것은 측정입니다. 이처럼 길이, 각도, 둘레, 넓이, 부피 등은 결국 도형을 측정하는 것입니다.

'교과도형'은 교과서의 모든 '도형' 영역을 다루었습니다. 여기에 도형과 반드시 연계하여 학습해야 하는 '측정' 영역을 추가로 다루어 더욱 완성된 도형 학습을 할 수 있도록 도와줍니다.

하루 한 장 60일 집중 완성 교과도형은 ·······

7세부터 6학년까지 총 7단계 21권(단계별 3권)으로 구성되어 있으며 각 권은 매일 한 장씩 4주간 체계적으로 학습할 수 있습니다.

1권, 20일

2권, 20일

3권, 20일

대 상	단 계	구 성
7세 ~ 1학년	P	P1, P2, P3
1학년	A	A1, A2, A3
2학년	B	B1, B2, B3
3학년	C	C1, C2, C3
4학년	D	D1, D2, D3
5학년	E	E1, E2, E3
6학년	F	F1, F2, F3

교과도형의 각 단계는 1, 2, 3권을 차례대로 학습합니다.

교과도형, 한 권이면 충분합니다

교과도형은 공간감각, 도형표현, 도형측정을 중심으로 교과서에서 다루는 모든 도형을 학습하고,
공간감각 향상을 위한 '도형플러스'와 학습 결과를 확인하는 '형성평가'를 제공합니다.

1 주차별 학습

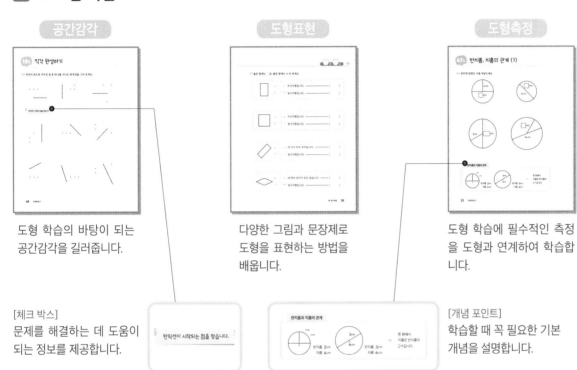

공간감각

도형 학습의 바탕이 되는
공간감각을 길러줍니다.

도형표현

다양한 그림과 문장제로
도형을 표현하는 방법을
배웁니다.

도형측정

도형 학습에 필수적인 측정
을 도형과 연계하여 학습합
니다.

[체크 박스]
문제를 해결하는 데 도움이
되는 정보를 제공합니다.

[개념 포인트]
학습할 때 꼭 필요한 기본
개념을 설명합니다.

2 도형플러스

각 권의 학습 주제와
연계하여 공간감각을
더욱 향상시킵니다.

3 형성평가

학습한 내용을 다시 한 번
복습하고 정리합니다.

이 책의 차례

1주차
41~45일

원의 구성

💬 원의 중심을 • 으로 표시해 보세요.

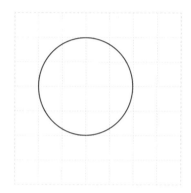
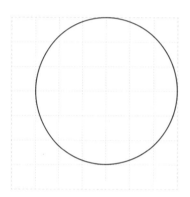
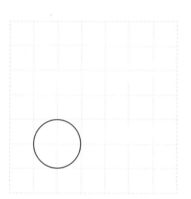

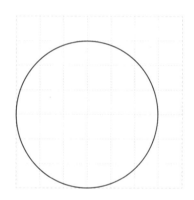
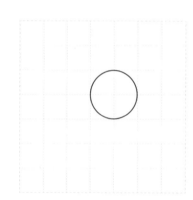
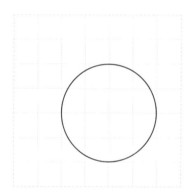

원을 그리는 방법

양쪽에 구멍이 뚫린 띠 종이의 한쪽 끝을 누름 못으로 고정한 다음, 누름 못을 누른 상태에서 연필을 반대쪽 끝 구멍에 넣어 한 바퀴 그으면 원을 그릴 수 있습니다.

누름 못이 꽂힌 점에서
원 위의 한 점까지의
길이는 모두 같습니다.

11 원의 중심을 찾아 써 보세요.

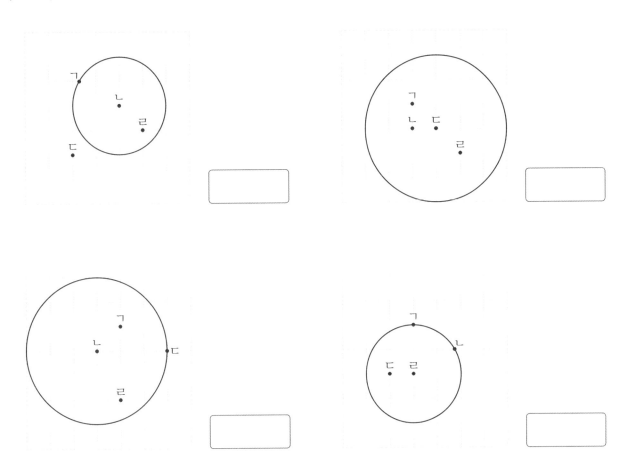

원의 중심

원을 그릴 때에 누름 못이 꽂혔던 점 ㅇ을 원의 중심이라고 합니다.

원의 중심: 점 ㅇ

원의 중심에서
원 위의 한 점까지의
길이는 모두 같습니다.

반지름과 지름 (1)

🎈 원의 반지름을 나타내는 선분을 모두 써 보세요.

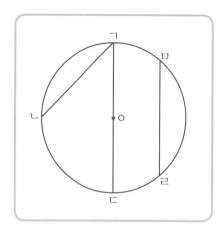

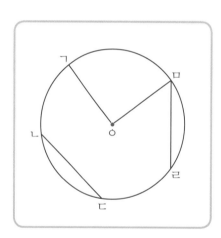

반지름, 지름

원의 중심 ㅇ과 원 위의 한 점을 이은 선분을 원의 반지름이라고 합니다.
원 위의 두 점을 이은 선분이 원의 중심 ㅇ을 지날 때, 이 선분을 원의 지름이라고 합니다.

원의 반지름: 선분 ㅇㄱ, 선분 ㅇㄴ
원의 지름: 선분 ㄱㄴ

🔵 원에 반지름을 3개씩 그어 보고, 자를 이용하여 반지름을 재어 보세요.

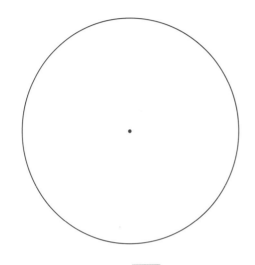

반지름: ☐ cm

> 한 원에서 반지름은 무수히 많이 그을 수 있습니다.

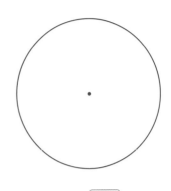

반지름: ☐ cm

반지름: ☐ cm

반지름: ☐ cm

반지름과 지름 (2)

🔔 원의 지름을 나타내는 선분을 모두 써 보세요.

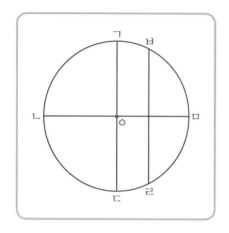

📎 지름은 원의 중심을 지납니다.

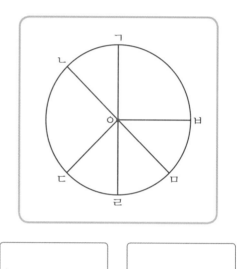

💬 원에 지름을 2개씩 그어 보고, 자를 이용하여 지름을 재어 보세요.

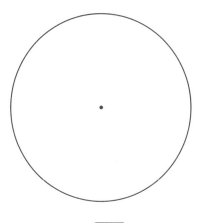

지름: ▢cm

한 원에서 지름은 무수히 많이 그을 수 있습니다.

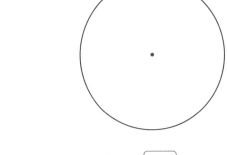

지름: ▢cm

지름: ▢cm

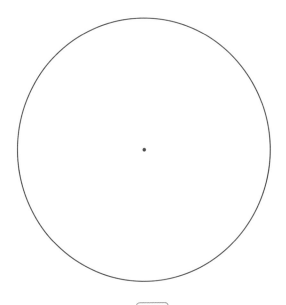

지름: ▢cm

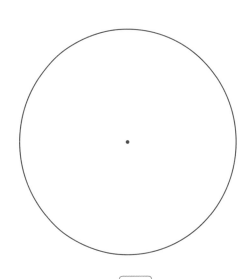

지름: ▢cm

모눈의 한 칸은 Ⅰcm입니다. 원의 반지름과 지름을 구해 보세요.

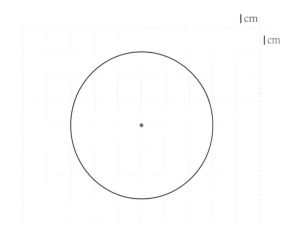

반지름 _____ cm

지름 _____ cm

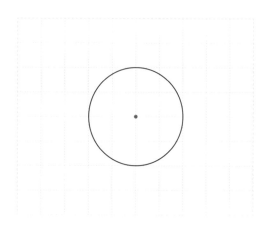

반지름 _____ cm

지름 _____ cm

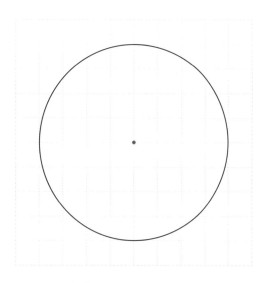

반지름 _____ cm

지름 _____ cm

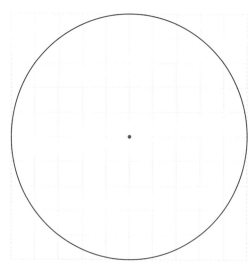

반지름 _____ cm

지름 _____ cm

모눈의 한 칸은 1cm입니다. 알맞게 이어 보세요.

1cm
1cm

반지름이
3 cm인 원

지름이
3 cm인 원

반지름이
2 cm인 원

지름이
5 cm인 원

반지름이
1 cm인 원

🔢 빈칸에 알맞은 수를 써넣으세요.

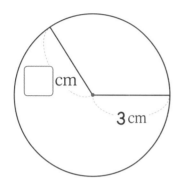

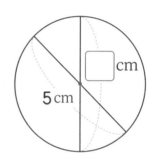

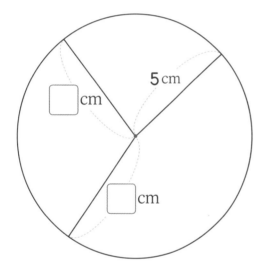

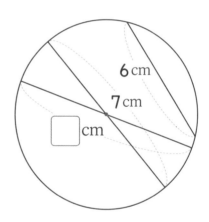

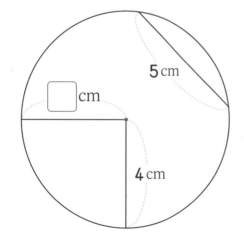

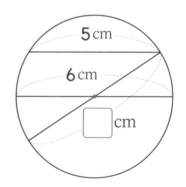

① 원의 반지름과 지름을 구해 보세요.

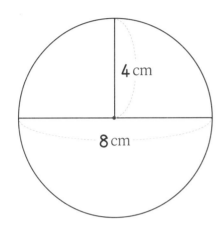

반지름 _____ cm

지름 _____ cm

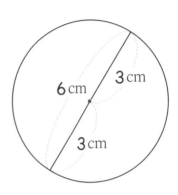

반지름 _____ cm

지름 _____ cm

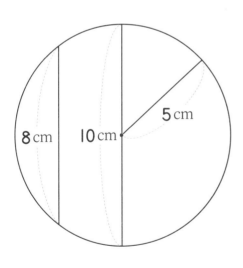

반지름 _____ cm

지름 _____ cm

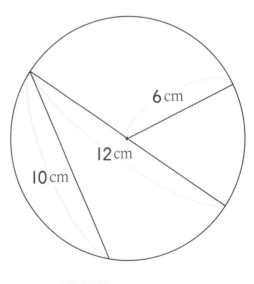

반지름 _____ cm

지름 _____ cm

🔵 물음에 답하세요.

두 원의 지름의 합은 몇 cm일까요?

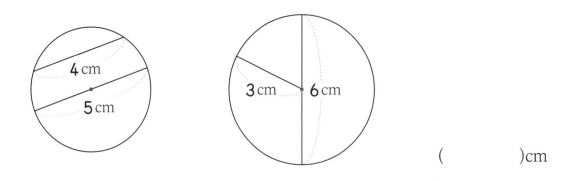

(   )cm

두 원의 반지름의 차는 몇 cm일까요?

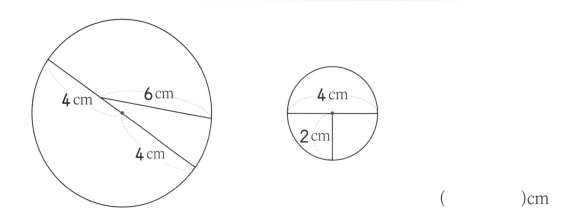

(   )cm

원을 둘로 나누는 선분

🔘 원을 똑같이 둘로 나누는 선분과 원의 지름을 나타내는 선분을 각각 써 보세요.

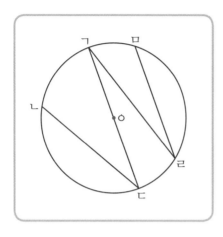

원을 똑같이 둘로 나누는 선분: [   ]

원의 지름: [   ]

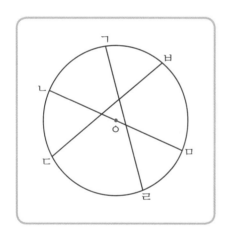

원을 똑같이 둘로 나누는 선분: [   ]

원의 지름: [   ]

원을 둘로 나누는 선분

원을 **똑같이 둘로 나누어지도록** 접었다 펼칩니다.
이때, 접힌 선분은 원 안에서 그을 수 있는 **가장 긴 선분**이고, 원의 중심을 지나는 **지름**과 같습니다.

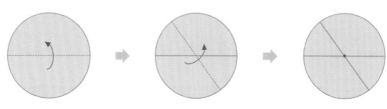

11 원 안의 선분 중 가장 긴 선분과 원의 지름을 나타내는 선분을 각각 써 보세요.

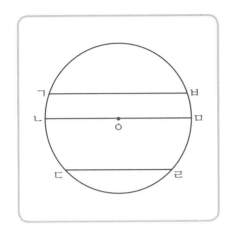

가장 긴 선분: 　

원의 지름: 　

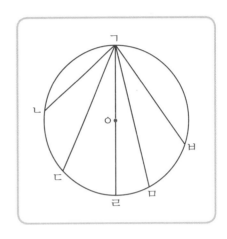

가장 긴 선분: 　

원의 지름: 　

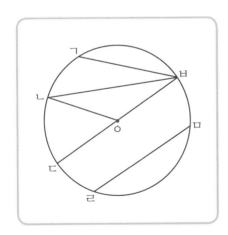

가장 긴 선분: 　

원의 지름: 　

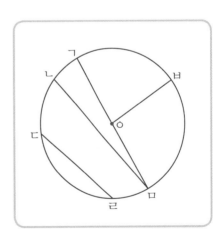

가장 긴 선분: 　

원의 지름:

반지름, 지름의 관계 (1)

❶ 빈칸에 알맞은 수를 써넣으세요.

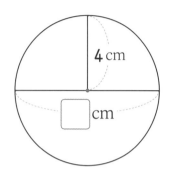

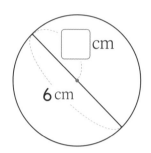

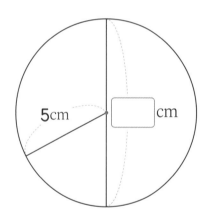

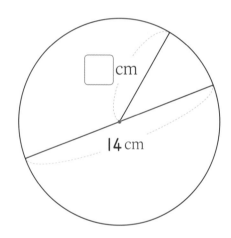

반지름과 지름의 관계

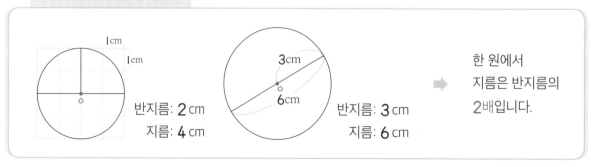

한 원에서 지름은 반지름의 2배입니다.

빈칸에 알맞은 수를 써넣으세요.

반지름이 1cm인 단추의 지름은 ▭ cm입니다.

반지름이 15cm인 피자의 지름은 ▭ cm입니다.

지름이 20cm인 접시의 반지름은 ▭ cm입니다.

지름이 28cm인 벽시계의 반지름은 ▭ cm입니다.

지름이 70cm인 훌라후프의 반지름은 ▭ cm입니다.

원의 지름을 구해 보세요.

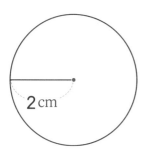

2 cm

지름: ☐ cm

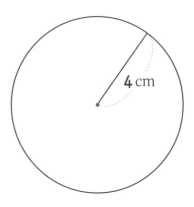

4 cm

지름: ☐ cm

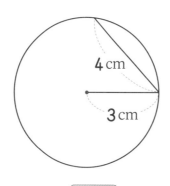

4 cm

3 cm

지름: ☐ cm

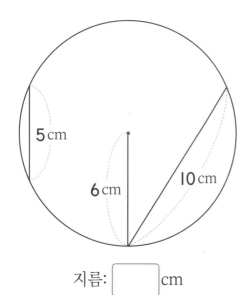

5 cm

6 cm

10 cm

지름: ☐ cm

6 cm

9 cm

5 cm

지름: ☐ cm

🔢 원의 반지름을 구해 보세요.

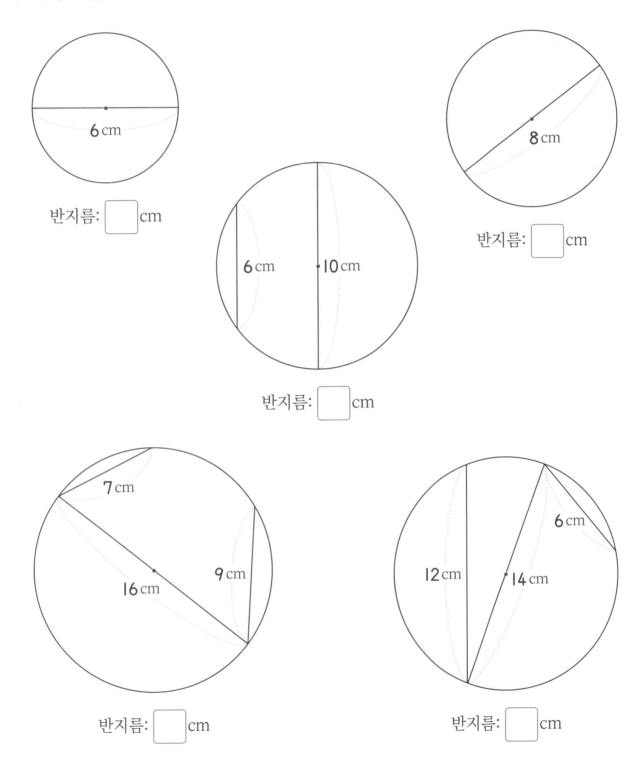

6 cm

반지름: ☐ cm

6 cm 10 cm

반지름: ☐ cm

8 cm

반지름: ☐ cm

7 cm
9 cm
16 cm

반지름: ☐ cm

12 cm
6 cm
14 cm

반지름: ☐ cm

⓫ 크기가 같은 원끼리 이어 보세요.

지름이 8 cm인 원 • • 반지름이 5 cm인 원

지름이 10 cm인 원 • • 반지름이 8 cm인 원

지름이 16 cm인 원 • • 반지름이 7 cm인 원

지름이 14 cm인 원 • • 반지름이 4 cm인 원

지름이 2 cm인 원 • • 반지름이 2 cm인 원

반지름이 3 cm인 원 • • 지름이 12 cm인 원

지름이 4 cm인 원 • • 반지름이 1 cm인 원

반지름이 6 cm인 원 • • 지름이 6 cm인 원

11 크기가 가장 큰 원의 기호를 써 보세요.

㉠ 지름이 7 cm인 원

㉡ 지름이 5 cm인 원

㉢ 지름이 6 cm인 원

(   )

㉠ 반지름이 1 cm인 원

㉡ 반지름이 4 cm인 원

㉢ 반지름이 2 cm인 원

(   )

㉠ 지름이 4 cm인 원

㉡ 반지름이 4 cm인 원

㉢ 지름이 6 cm인 원

(   )

㉠ 반지름이 5 cm인 원

㉡ 지름이 8 cm인 원

㉢ 반지름이 3 cm인 원

(   )

㉠ 지름이 9 cm인 원

㉡ 반지름이 5 cm인 원

㉢ 지름이 11 cm인 원

(   )

㉠ 반지름이 7 cm인 원

㉡ 지름이 15 cm인 원

㉢ 반지름이 6 cm인 원

(   )

50일 원 설명하기

⑪ 바르게 설명한 것의 기호를 모두 써 보세요.

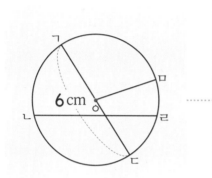

⊙ 선분 ㅇㄱ과 선분 ㅇㅁ은 원의 지름입니다.

⊙ 점 ㅇ은 원의 중심입니다.

© 원의 반지름은 3 cm입니다.

② 선분 ㄴㄹ은 6 cm입니다.

◎ 한 원에서 반지름은 5개 그을 수 있습니다.

(   )

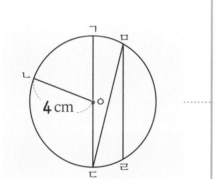

⊙ 선분 ㅇㄴ은 원의 반지름입니다.

⊙ 선분 ㄱㄷ과 선분 ㄷㅁ은 원의 지름입니다.

© 한 원에서 지름의 길이는 서로 다릅니다.

② 원의 지름은 8 cm입니다.

◎ 선분 ㅇㄷ은 4 cm입니다.

(   )

📖 알맞은 말에 ◯표 하세요.

원의 중심을 지나도록 원 위의 두 점을 이은 선분을 원의 (반지름 , 지름)이라고 합니다.

원의 중심과 원 위의 한 점을 이은 선분을 원의 (반지름 , 지름)이라고 합니다.

지름이 길수록 원은 (커집니다 , 작아집니다).

한 원에서 지름은 반지름의 (반 , 2배)입니다.

한 원에서 지름의 길이는 모두 (같습니다 , 다릅니다).

원 안에서 그을 수 있는 가장 긴 선분은 원의 (반지름 , 지름)입니다.

원에 대하여 바르게 설명한 것에 ○표, 잘못 설명한 것에 ✕표 하세요.

지름은 항상 원의 중심을 지납니다. ───────── (　　　)

반지름은 원을 똑같이 둘로 나누는 선분입니다. ───── (　　　)

한 원에서 지름은 2개 그을 수 있습니다. ─────── (　　　)

한 원에서 반지름의 길이는 모두 같습니다. ────── (　　　)

한 원에서 반지름은 지름의 2배입니다. ─────── (　　　)

한 원에서 원의 중심은 1개입니다. ──────── (　　　)

3주차
51~55일

길이 구하기

① 큰 원 안에 작은 원을 그렸습니다. 빈칸에 알맞은 수를 써넣으세요.

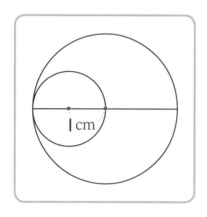

작은 원의 반지름: ☐ cm

작은 원의 지름: ☐ cm

큰 원의 반지름: ☐ cm

큰 원의 지름: ☐ cm

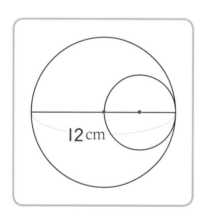

작은 원의 반지름: ☐ cm

작은 원의 지름: ☐ cm

큰 원의 반지름: ☐ cm

큰 원의 지름: ☐ cm

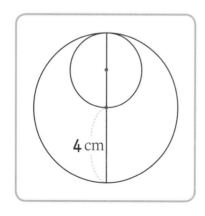

작은 원의 반지름: ☐ cm

작은 원의 지름: ☐ cm

큰 원의 반지름: ☐ cm

큰 원의 지름: ☐ cm

🔵 큰 원 안에 작은 원을 그렸습니다. 물음에 답하세요.

작은 원의 반지름은 2 cm입니다. 큰 원의 지름은 몇 cm일까요?

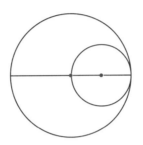

(   )cm

큰 원의 지름은 16 cm입니다. 작은 원의 반지름은 몇 cm일까요?

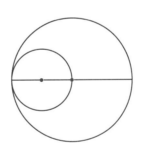

(   )cm

작은 원의 반지름은 3 cm로 같습니다. 큰 원의 지름은 몇 cm일까요?

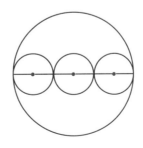

(   )cm

선분 ㄱㄴ의 길이를 구해 보세요.

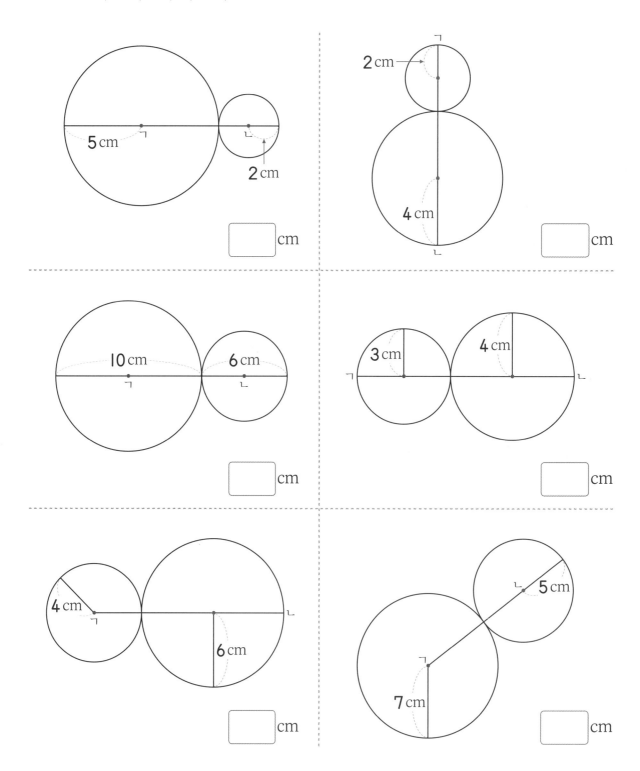

💬 선분 ㄱㄴ의 길이를 구해 보세요.

큰 원의 반지름: **6** cm
작은 원의 반지름: **3** cm

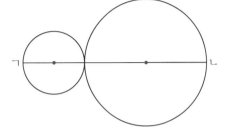

[ ] cm

큰 원의 지름: **8** cm
작은 원의 지름: **6** cm

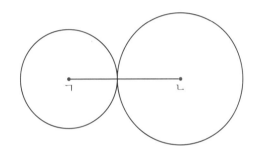

[ ] cm

큰 원의 지름: **12** cm
작은 원의 반지름: **5** cm

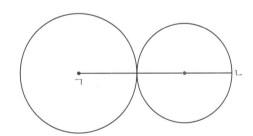

[ ] cm

큰 원의 반지름: **8** cm
작은 원의 지름: **8** cm

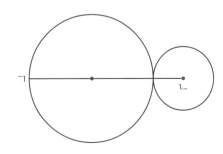

[ ] cm

🔲 크기가 같은 원을 이어 붙였습니다. 선분 ㄱㄴ의 길이를 구해 보세요.

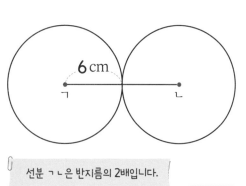

6 cm

선분 ㄱㄴ은 반지름의 2배입니다.

☐ cm

5 cm

☐ cm

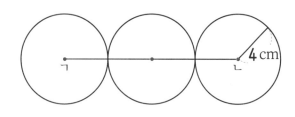

4 cm

☐ cm

2 cm

☐ cm

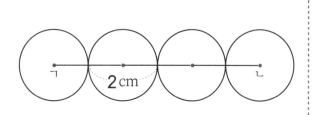

2 cm

☐ cm

8 cm

☐ cm

크기가 같은 원을 이어 붙였습니다. 빈칸에 알맞은 수를 써넣으세요.

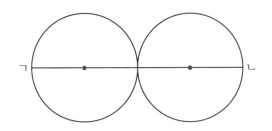

선분 ㄱㄴ: 12 cm

원의 반지름: ☐ cm

선분 ㄱㄴ: 8 cm

원의 반지름: ☐ cm

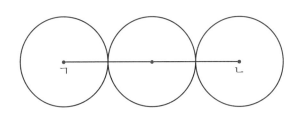

선분 ㄱㄴ: 18 cm

원의 지름: ☐ cm

선분 ㄱㄴ: 12 cm

원의 지름: ☐ cm

직사각형 안의 원

⓫ 직사각형 안에 크기가 같은 원을 꼭 맞게 이어 붙여 그렸습니다. 직사각형의 가로와 세로를 구해 보세요.

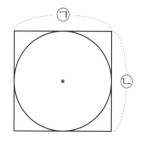

원의 반지름: **7** cm

㉠: ☐ cm   ㉡: ☐ cm

직사각형의 가로는 원의 지름과 같습니다.

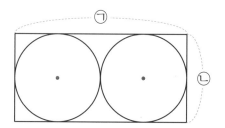

원의 지름: **10** cm

㉠: ☐ cm   ㉡: ☐ cm

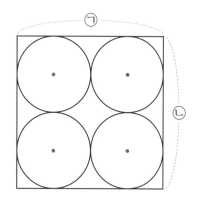

원의 반지름: **3** cm

㉠: ☐ cm   ㉡: ☐ cm

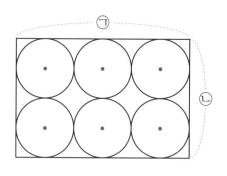

원의 지름: **4** cm

㉠: ☐ cm   ㉡: ☐ cm

📖 물음에 답하세요.

직사각형 안에 반지름이 **2** cm인 크기가 같은 원 **2**개를 꼭 맞게 그렸습니다. 직사각형 네 변의 길이의 합은 cm일까요?

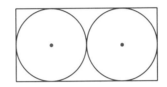

(   )cm

가로가 **24** cm, 세로가 **16** cm인 상자 안에 크기가 같은 통조림캔 **6**개가 꼭 맞게 들어 있습니다. 통조림캔의 반지름과 지름은 각각 몇 cm일까요?

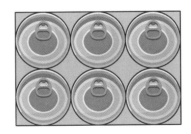

통조림캔의 반지름: (   )cm

통조림캔의 지름: (   )cm

① 크기가 같은 원을 서로 원의 중심을 지나도록 겹쳐 그렸습니다. 선분 ㄱㄴ의 길이를 구해 보세요.

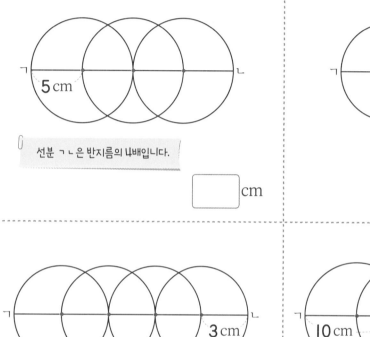

선분 ㄱㄴ은 반지름의 **4배**입니다.

[ ] cm

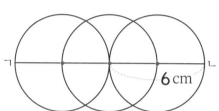

[ ] cm

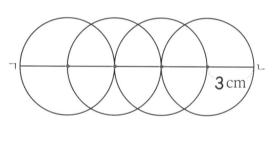

[ ] cm

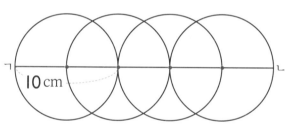

[ ] cm

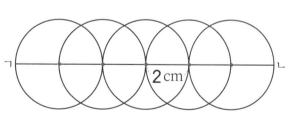

[ ] cm

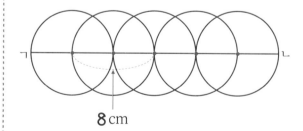

8 cm

[ ] cm

크기가 같은 원을 서로 원의 중심을 지나도록 겹쳐 그렸습니다. 빈칸에 알맞은 수를 써 넣으세요.

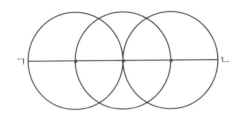

선분 ㄱㄴ: 16 cm

원의 반지름: ☐ cm

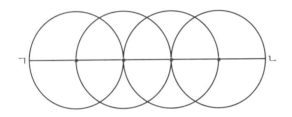

선분 ㄱㄴ: 25 cm

원의 반지름: ☐ cm

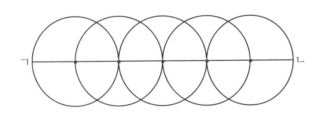

선분 ㄱㄴ: 18 cm

원의 지름: ☐ cm

선분 ㄱㄴ: 14 cm

원의 지름: ☐ cm

✏️ 물음에 답하세요.

직사각형 안에 크기가 같은 원 4개를 원의 중심이 지나도록 겹쳐 그렸습니다. 원의 지름이 8 cm라면 직사각형의 긴 변과 짧은 변은 각각 몇 cm일까요?

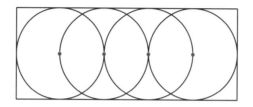

직사각형의 긴 변: (   )cm

직사각형의 짧은 변: (   )cm

지름이 10 cm인 원 3개를 원의 중심이 지나도록 겹쳐 그리고, 원의 중심을 연결하여 삼각형을 만들었습니다. 삼각형 세 변의 길이의 합은 몇 cm일까요?

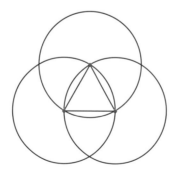

(   )cm

컴퍼스 이용하기

🔢 왼쪽만큼 컴퍼스를 벌리고, 주어진 점을 원의 중심으로 하는 원을 그려 보세요. 그린 원의 지름을 자로 재어 보세요.

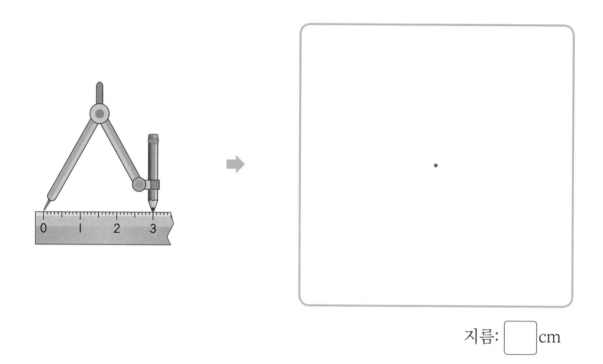

지름: ☐ cm

컴퍼스로 원 그리기

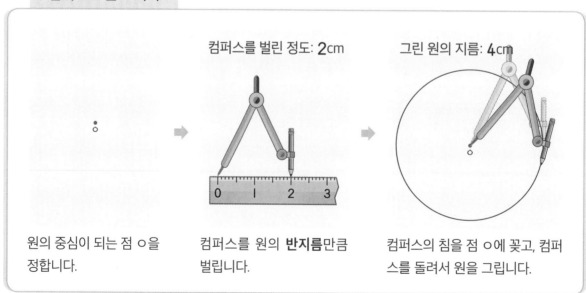

컴퍼스를 벌린 정도: **2cm**

그린 원의 지름: **4cm**

원의 중심이 되는 점 ㅇ을 정합니다.

컴퍼스를 원의 **반지름**만큼 벌립니다.

컴퍼스의 침을 점 ㅇ에 꽂고, 컴퍼스를 돌려서 원을 그립니다.

주어진 원을 그리기 위해 컴퍼스를 알맞게 벌린 것을 찾아 ◯표 하세요.

반지름이 1 cm인 원 그리기

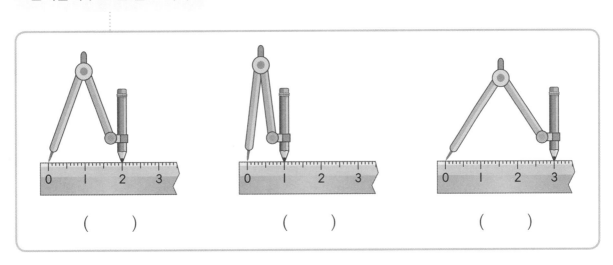

(   )   (   )   (   )

지름이 6 cm인 원 그리기

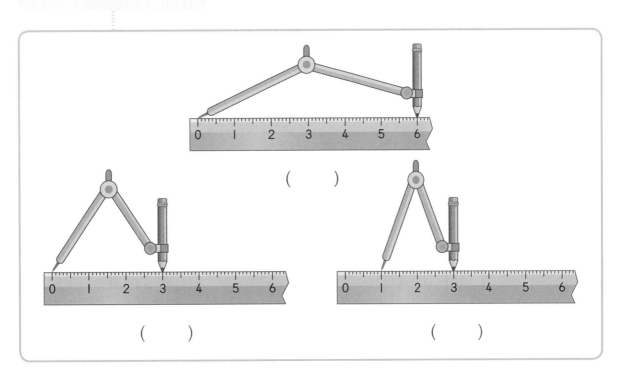

(   )

(   )   (   )

원 완성하기

컴퍼스를 이용하여 원을 완성해 보세요.

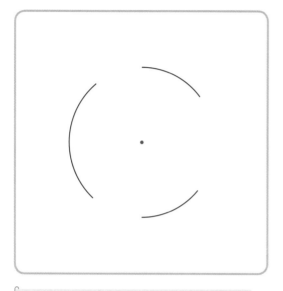

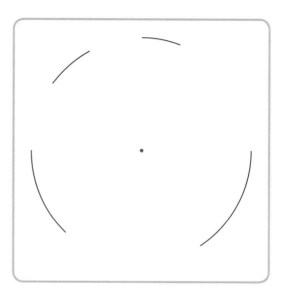

원의 중심부터 원 위의 한 점까지 컴퍼스를 벌립니다.

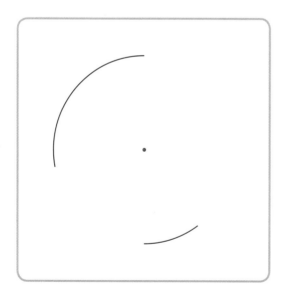

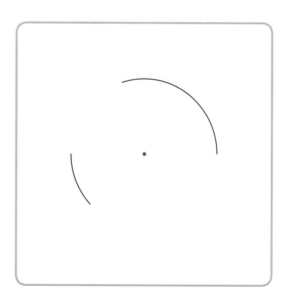

🔟 컴퍼스를 이용하여 주어진 선분을 반지름으로 하는 원을 그려 보세요.

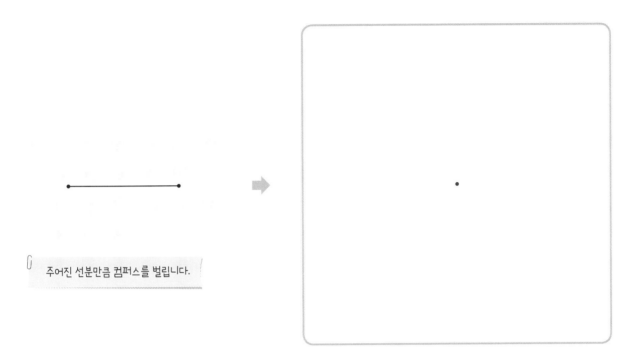

주어진 선분만큼 컴퍼스를 벌립니다.

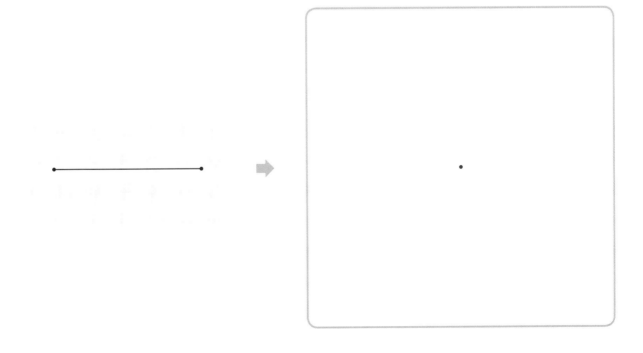

크기가 같은 원 그리기

🎵 컴퍼스를 이용하여 왼쪽 원과 크기가 같은 원을 그려 보세요.

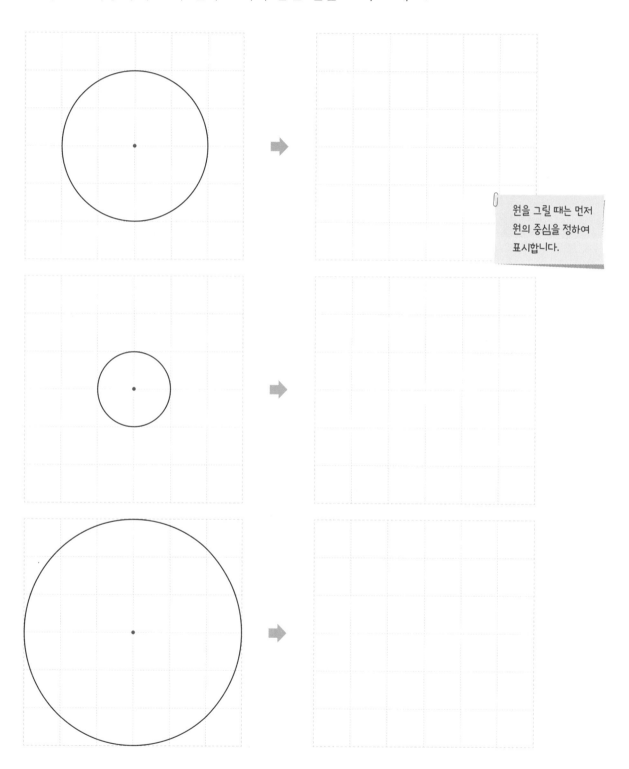

원을 그릴 때는 먼저
원의 중심을 정하여
표시합니다.

11 컴퍼스를 이용하여 왼쪽과 같은 위치에 크기가 같은 원을 그려 보세요.

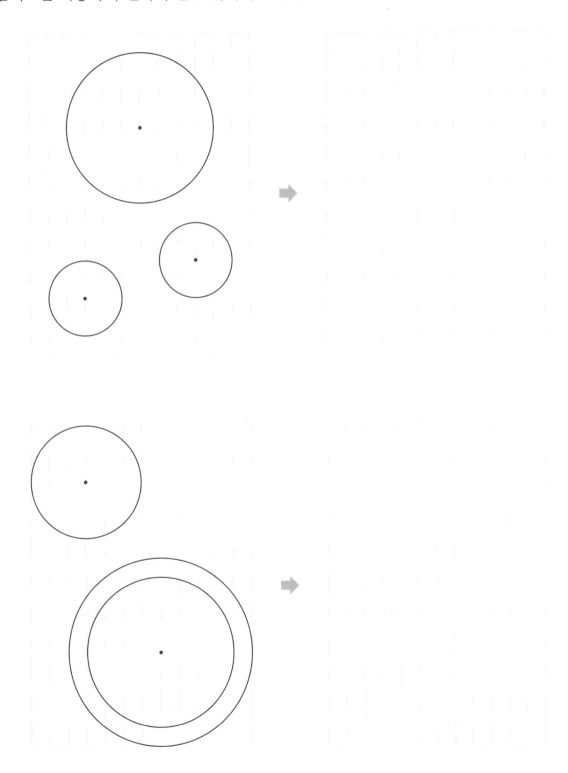

길이에 맞는 원 그리기

🎵 컴퍼스를 이용하여 주어진 길이의 원을 그려 보세요.

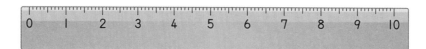

반지름이 2 cm인 원

지름이 4 cm인 원

반지름이 4 cm인 원

지름이 6 cm인 원

6 컴퍼스를 이용하여 조건에 맞게 원을 그려 보세요.

반지름이 **3** cm, 지름이 **4** cm인 두 원을 서로 맞닿게 그려 보세요.

| cm

| cm

반지름이 **I** cm, 지름이 **6** cm인 두 원을 원의 중심이 같도록 그려 보세요.

| cm

| cm

원을 그리는 규칙

🔘 주어진 규칙에 따라 컴퍼스를 이용하여 원을 2개 더 그려 보세요.

원의 중심은 변하지 않고,
원의 반지름은 1칸씩 늘어납니다.

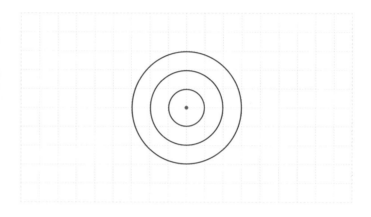

원의 중심은 오른쪽으로 4칸씩
이동하고, 원의 반지름은 변하지
않습니다.

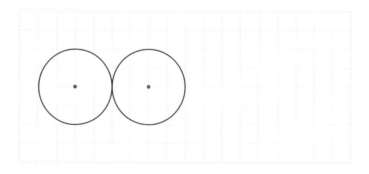

원의 중심은 오른쪽으로 2칸, 3칸,
4칸……씩 이동하고, 원의 반지름
은 1칸씩 늘어납니다.

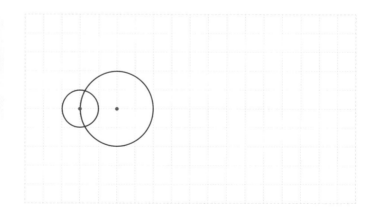

빈칸에 알맞은 수를 쓰고, 규칙에 따라 컴퍼스를 이용하여 원을 1개 더 그려 보세요.

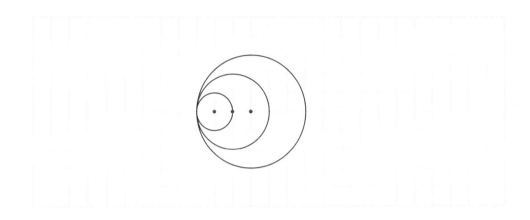

원의 중심: 오른쪽으로 ☐ 칸씩 이동합니다.

원의 반지름: ☐ 칸씩 늘어납니다.

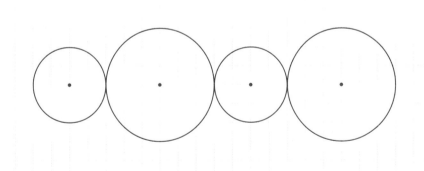

원의 중심: 오른쪽으로 ☐ 칸씩 이동합니다.

원의 반지름: ☐ 칸, ☐ 칸인 반지름이 반복됩니다.

규칙을 찾아 컴퍼스를 이용하여 원을 2개 더 그려 보세요.

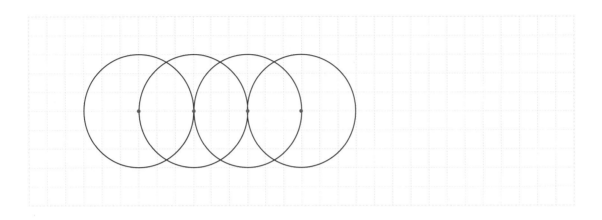

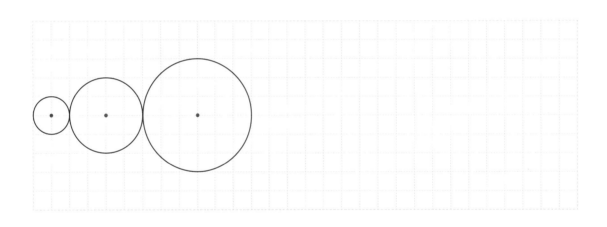

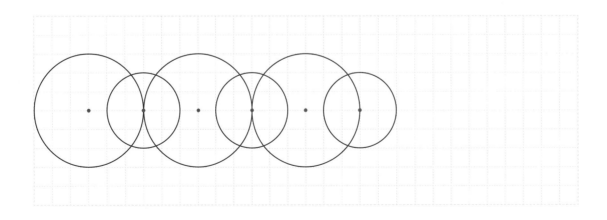

도형 플러스+

- 모양 그리기 -

원의 일부 그리기

▶ 컴퍼스를 이용하여 선을 따라 원의 일부를 그려 보세요.

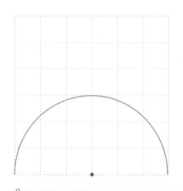
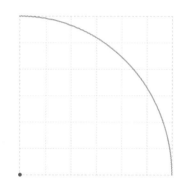
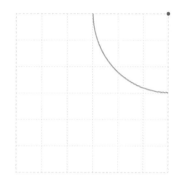

원의 중심에서 원 위의 한 점까지 컴퍼스를 벌립니다.

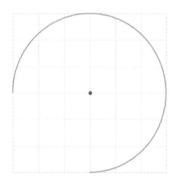
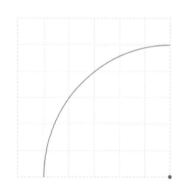
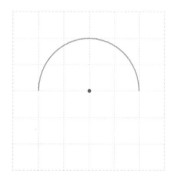

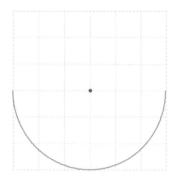
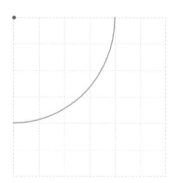
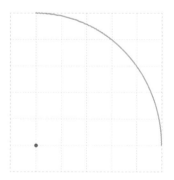

● 컴퍼스를 이용하여 왼쪽 모양과 똑같이 그려 보세요.

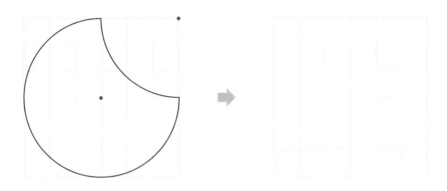

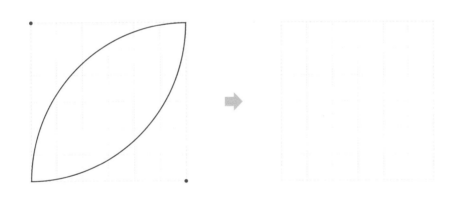

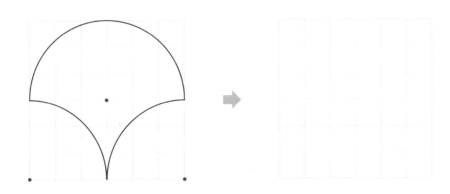

침을 꽂는 위치

▶ 컴퍼스로 주어진 모양을 그리기 위해 침을 꽂아야 하는 곳을 모두 표시해 보세요.

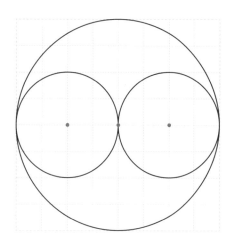

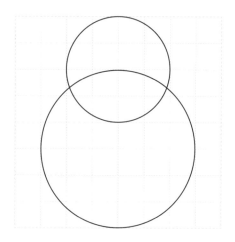

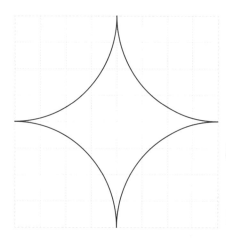

전체 원의 모양을 생각하면서 원의 중심을 찾습니다.

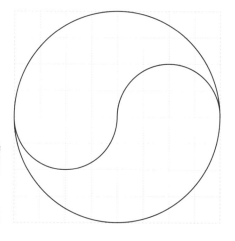

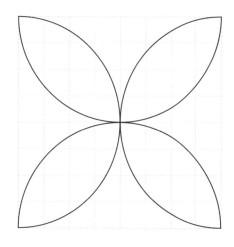

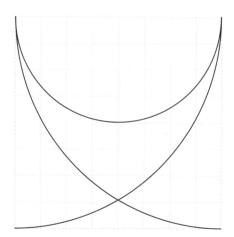

▶ 컴퍼스로 주어진 모양을 그리기 위해 침을 꽂아야 하는 곳은 모두 몇 군데인지 세어
보세요.

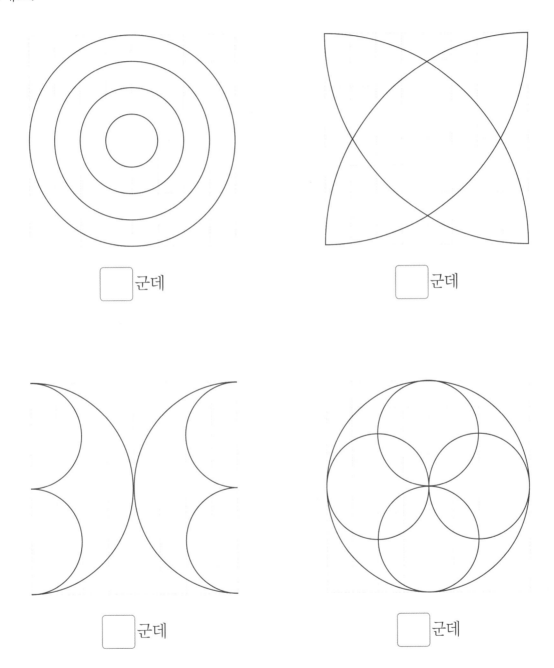

□ 군데

□ 군데

□ 군데

□ 군데

모양 그리기

● 컴퍼스를 이용하여 왼쪽 모양과 똑같이 그려 보세요.

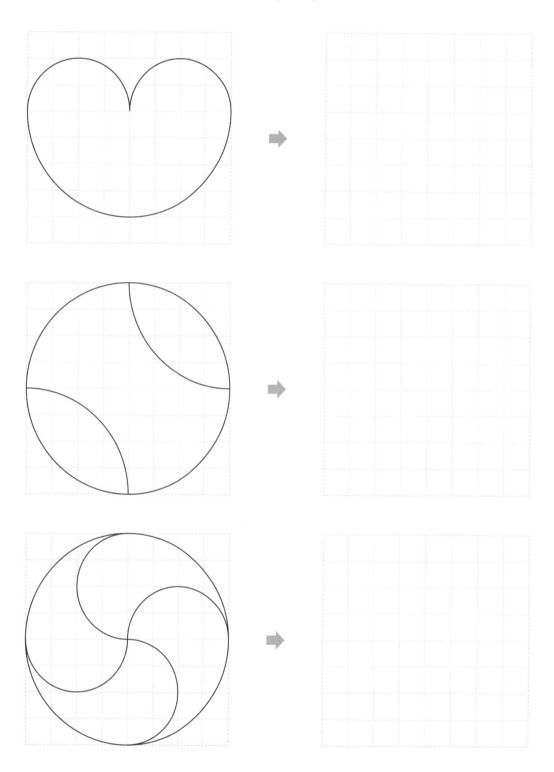

▶ 자와 컴퍼스를 이용하여 왼쪽 모양과 똑같이 그려 보세요.

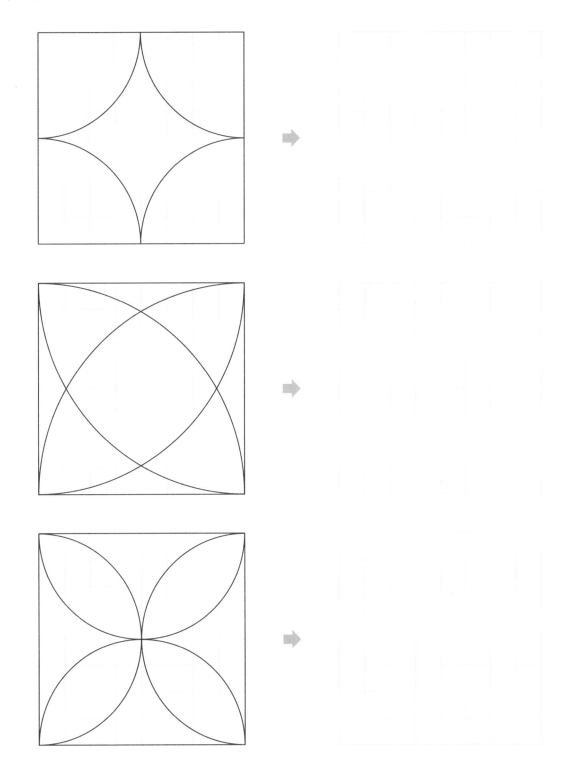

memo

형성평가

1 원의 중심을 찾아 써 보세요.

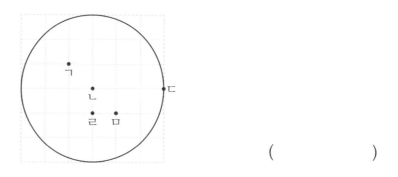

(   )

2 원의 반지름은 몇 cm일까요?

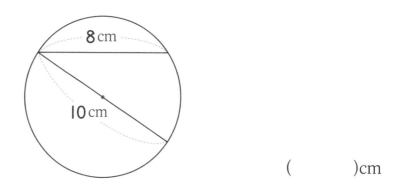

(   )cm

3 빈칸에 알맞은 수를 써넣으세요.

> 반지름이 **4** cm인 원의 지름은 ☐ cm입니다.
>
> 지름이 **6** cm인 원을 그리려면 컴퍼스를 ☐ cm만큼 벌려야 합니다.

4 작은 원의 반지름은 **4** cm입니다. 큰 원의 지름은 몇 cm일까요?

(   )cm

5 반지름이 **2** cm인 원 **4**개를 이어 붙였습니다. 선분 ㄱㄴ의 길이는 몇 cm일까요?

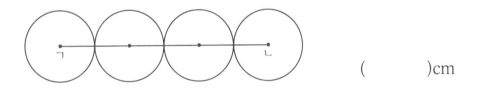

(   )cm

6 가로가 **6**cm, 세로가 **2**cm인 직사각형 안에 크기가 같은 원 **3**개를 꼭 맞게 그리려고 합니다. 원의 반지름은 몇 cm로 해야 할까요?

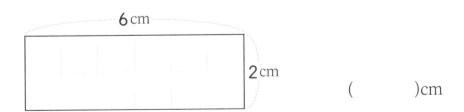

(   )cm

1 원의 반지름을 나타내는 선분을 모두 써 보세요.

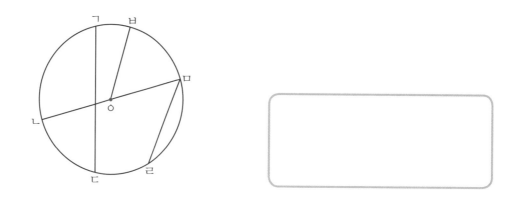

2 컴퍼스를 다음과 같이 벌려서 원을 그렸습니다. 그린 원의 지름은 몇 cm일까요?

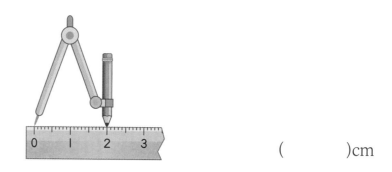

(   )cm

3 원에 대하여 바르게 설명한 것의 기호를 모두 써 보세요.

> ㉠ 지름은 원을 똑같이 둘로 나누는 선분입니다.
> ㉡ 한 원에서 원의 중심은 무수히 많습니다.
> ㉢ 한 원에서 반지름은 지름의 **2**배입니다.
> ㉣ 한 원에서 지름의 길이는 모두 같습니다.

(   )

4 원의 중심을 같게 하여 그린 모양에 ◯표 하세요.

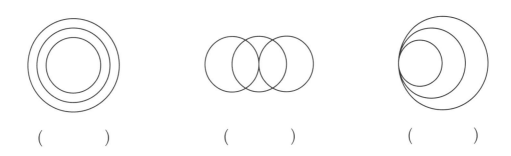

(   )   (   )   (   )

5 지름이 **6** cm인 원 **4**개를 서로 원의 중심을 지나도록 겹쳐 그렸습니다. 선분 ㄱㄴ의 길이는 몇 cm일까요?

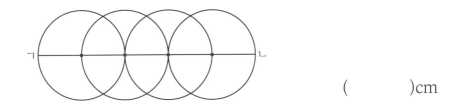

(   )cm

6 빈칸에 알맞은 수를 쓰고, 규칙에 따라 컴퍼스를 이용하여 원을 **2**개 더 그려 보세요.

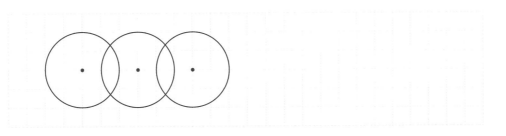

원의 중심은 오른쪽으로 ☐칸씩 이동하고, 원의 반지름은 변하지 않습니다.

memo

정답

C3
원

정답

1주차 원의 구성

41일 원의 중심

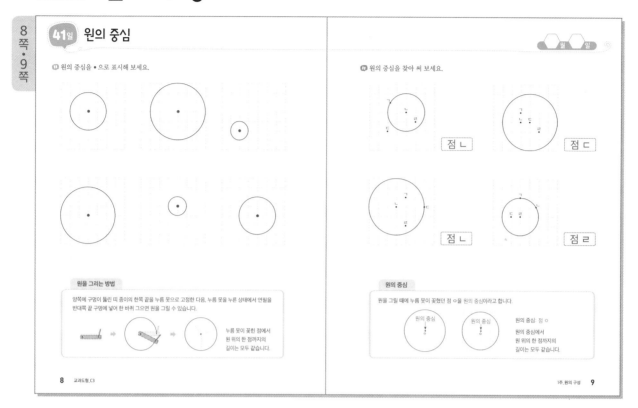

❶ 원의 중심을 • 으로 표시해 보세요.

❷ 원의 중심을 찾아 써 보세요.

점 ㄴ   점 ㄷ

점 ㄴ   점 ㄹ

원을 그리는 방법

양쪽에 구멍이 뚫린 띠 종이의 한쪽 끝을 누름 못으로 고정한 다음, 누름 못을 누른 상태에서 연필을 반대쪽 끝 구멍에 넣어 한 바퀴 그으면 원을 그릴 수 있습니다.

누름 못이 꽂혔던 점에서 원 위의 한 점까지의 길이는 모두 같습니다.

원의 중심

원을 그릴 때에 누름 못이 꽂혔던 점 ㅇ을 원의 중심이라고 합니다.

원의 중심   원의 중심
ㅇ   ㅇ

원의 중심: 점 ㅇ

원의 중심에서 원 위의 한 점까지의 길이는 모두 같습니다.

42일 반지름과 지름 (1)

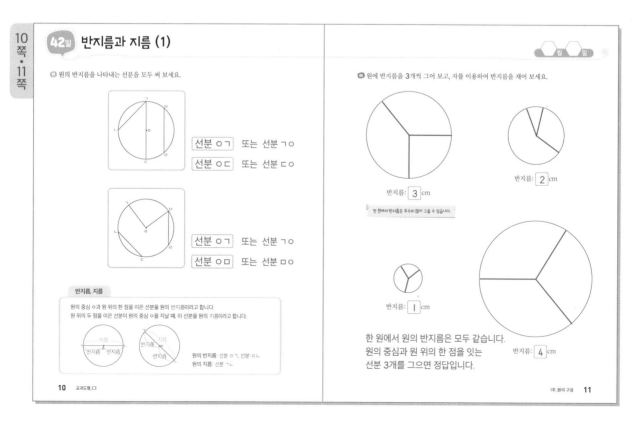

❶ 원의 반지름을 나타내는 선분을 모두 써 보세요.

선분 ㅇㄱ 또는 선분 ㄱㅇ
선분 ㅇㄷ 또는 선분 ㄷㅇ

선분 ㅇㄱ 또는 선분 ㄱㅇ
선분 ㅇㅁ 또는 선분 ㅁㅇ

반지름, 지름

원의 중심 ㅇ과 원 위의 한 점을 이은 선분을 원의 반지름이라고 합니다.
원 위의 두 점을 이은 선분이 원의 중심 ㅇ을 지날 때, 이 선분을 원의 지름이라고 합니다.

원의 반지름: 선분 ㅇㄱ, 선분 ㅇㄴ
원의 지름: 선분 ㄱㄴ

❷ 원에 반지름을 3개씩 그어 보고, 자를 이용하여 반지름을 재어 보세요.

반지름: 3 cm

반지름: 2 cm

한 원에서 반지름은 무수히 많이 그을 수 있습니다.

반지름: 1 cm

반지름: 4 cm

한 원에서 원의 반지름은 모두 같습니다.
원의 중심과 원 위의 한 점을 잇는
선분 3개를 그으면 정답입니다.

43일 반지름과 지름 (2)

원의 지름을 나타내는 선분을 모두 써 보세요.

선분 ㄱㄷ · 선분 ㄴㅁ

지름은 원의 중심을 지납니다.

또는 선분 ㄷㄱ · 선분 ㅁㄴ

선분 ㄱㄹ · 선분 ㄴㅁ

또는 선분 ㄹㄱ · 선분 ㅁㄴ

선분 ㄱㄹ · 선분 ㄴㅂ

또는 선분 ㄹㄱ · 선분 ㅂㄴ

선분 ㄴㅁ · 선분 ㄷㅂ

또는 선분 ㅁㄴ · 선분 ㅂㄷ

원에 지름을 2개씩 그어 보고, 자를 이용하여 지름을 재어 보세요.

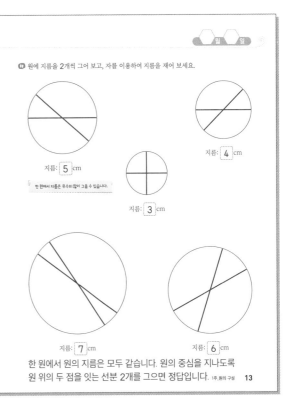

지름: 5 cm

지름: 4 cm

한 원에서 지름은 무수히 많이 그을 수 있습니다.

지름: 3 cm

지름: 7 cm

지름: 6 cm

한 원에서 원의 지름은 모두 같습니다. 원의 중심을 지나도록
원 위의 두 점을 잇는 선분 2개를 그으면 정답입니다.

44일 모눈 위의 원

모눈의 한 칸은 1cm입니다. 원의 반지름과 지름을 구해 보세요.

1cm
1cm

반지름 3 cm

지름 6 cm

반지름 2 cm

지름 4 cm

반지름 4 cm

지름 8 cm

반지름 5 cm

지름 10 cm

모눈의 한 칸은 1cm입니다. 알맞게 이어 보세요.

1cm
1cm

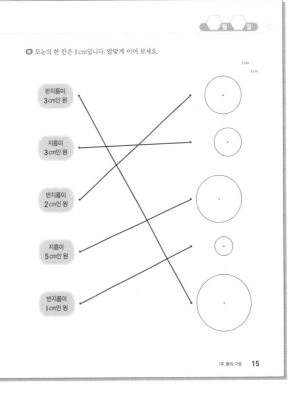

반지름이
3cm인 원

지름이
3cm인 원

반지름이
2cm인 원

지름이
5cm인 원

반지름이
1cm인 원

45일 길이 구하기

① 빈칸에 알맞은 수를 써넣으세요.

② 원의 반지름과 지름을 구해 보세요.

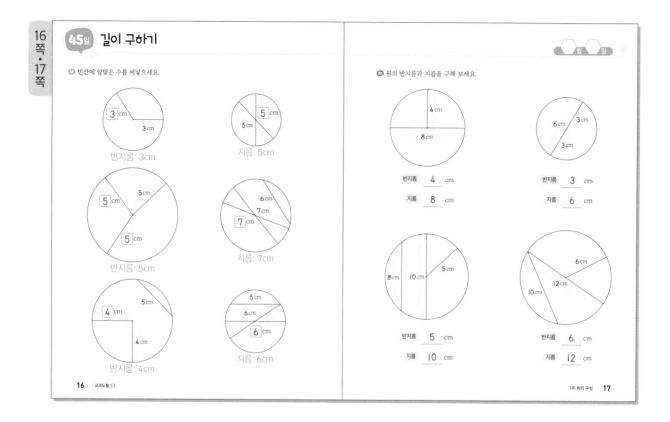

반지름: 3cm

지름: 5cm

반지름: 5cm

지름: 7cm

반지름: 4cm

지름: 6cm

반지름 4 cm
지름 8 cm

반지름 3 cm
지름 6 cm

반지름 5 cm
지름 10 cm

반지름 6 cm
지름 12 cm

③ 물음에 답하세요.

두 원의 지름의 합은 몇 cm일까요?

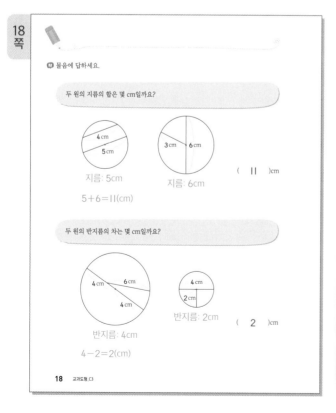

지름: 5cm   지름: 6cm   (11)cm

5+6=11(cm)

두 원의 반지름의 차는 몇 cm일까요?

반지름: 4cm   반지름: 2cm   (2)cm

4-2=2(cm)

[원 위의 한 점]

점이 모이면 선이 됩니다. 선분은 무수히 많은 점들이 모여서 만들어졌고, 원을 이루는 굽은 선도 무수히 많은 점들이 모여서 만들어졌습니다.

'원 위의 한 점'이라는 말은 원을 이루는 굽은 선 중 어느 한 점을 말합니다. 따라서 원의 중심과 원 위의 한 점을 잇는 선분은 원의 반지름, 원 위의 두 점을 잇는 선분 중에서 원의 중심을 지나는 선분은 원의 지름이 됩니다.

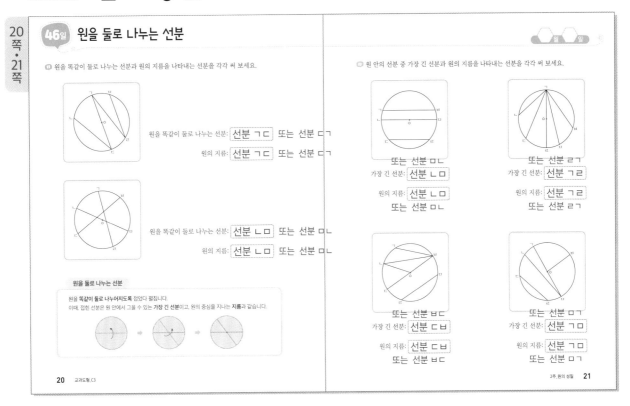

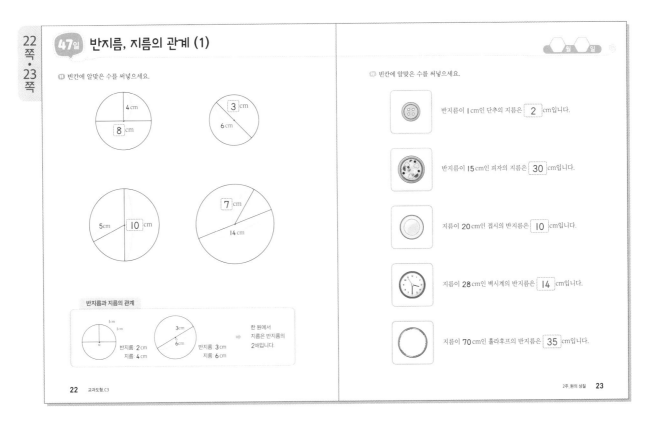

48일 반지름, 지름의 관계 (2)

① 원의 지름을 구해 보세요.

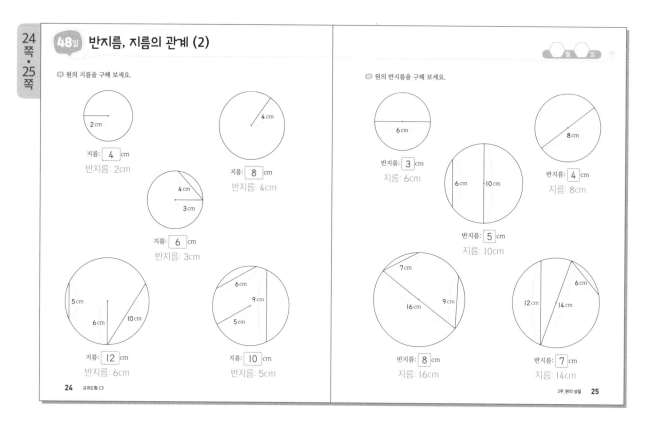

지름: [4] cm
반지름: 2cm

지름: [8] cm
반지름: 4cm

지름: [6] cm
반지름: 3cm

지름: [12] cm
반지름: 6cm

지름: [10] cm
반지름: 5cm

② 원의 반지름을 구해 보세요.

반지름: [3] cm
지름: 6cm

반지름: [4] cm
지름: 8cm

반지름: [5] cm
지름: 10cm

반지름: [8] cm
지름: 16cm

반지름: [7] cm
지름: 14cm

49일 크고 작은 원

① 크기가 같은 원끼리 이어 보세요.

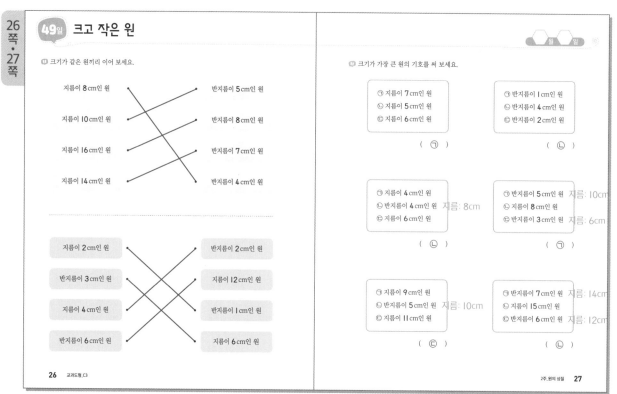

지름이 8cm인 원 ── 반지름이 5cm인 원
지름이 10cm인 원 ── 반지름이 8cm인 원
지름이 16cm인 원 ── 반지름이 7cm인 원
지름이 14cm인 원 ── 반지름이 4cm인 원

지름이 2cm인 원 ── 반지름이 2cm인 원
반지름이 3cm인 원 ── 지름이 12cm인 원
지름이 4cm인 원 ── 반지름이 1cm인 원
반지름이 6cm인 원 ── 지름이 6cm인 원

② 크기가 가장 큰 원의 기호를 써 보세요.

㉠ 지름이 7cm인 원
㉡ 지름이 5cm인 원
㉢ 지름이 6cm인 원
(㉠)

㉠ 반지름이 1cm인 원
㉡ 반지름이 4cm인 원
㉢ 반지름이 2cm인 원
(㉡)

㉠ 지름이 4cm인 원
㉡ 반지름이 4cm인 원 지름: 8cm
㉢ 지름이 6cm인 원
(㉡)

㉠ 반지름이 5cm인 원 지름: 10cm
㉡ 지름이 8cm인 원
㉢ 반지름이 3cm인 원 지름: 6cm
(㉠)

㉠ 지름이 9cm인 원
㉡ 반지름이 5cm인 원 지름: 10cm
㉢ 지름이 11cm인 원
(㉢)

㉠ 반지름이 7cm인 원 지름: 14cm
㉡ 지름이 15cm인 원
㉢ 반지름이 6cm인 원 지름: 12cm
(㉡)

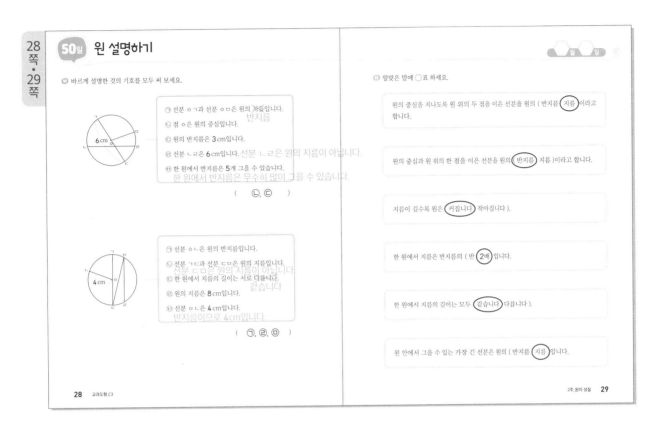

50일 원 설명하기

바르게 설명한 것의 기호를 모두 써 보세요.

6 cm

㉠ 선분 ㅇㄱ과 선분 ㅇㅁ은 원의 지름입니다. 반지름
㉡ 점 ㅇ은 원의 중심입니다.
㉢ 원의 반지름은 3 cm입니다.
㉣ 선분 ㄴㄹ은 6 cm입니다. 선분 ㄴㄹ은 원의 지름이 아닙니다.
㉤ 한 원에서 반지름은 5개 그을 수 있습니다.
한 원에서 반지름은 무수히 많이 그을 수 있습니다.

(㉡, ㉢)

4 cm

㉠ 선분 ㅇㄴ은 원의 반지름입니다.
㉡ 선분 ㄱㄷ과 선분 ㄷㅁ은 원의 지름입니다.
선분 ㄷㅁ은 원의 지름이 아닙니다.
㉢ 한 원에서 지름의 길이는 서로 다릅니다. 같습니다
㉣ 원의 지름은 8 cm입니다.
㉤ 선분 ㅇㄴ은 4 cm입니다.
반지름이므로 4cm입니다.

(㉠, ㉣, ㉤)

알맞은 말에 ○표 하세요.

원의 중심을 지나도록 원 위의 두 점을 이은 선분을 원의 (반지름, (지름))이라고 합니다.

원의 중심과 원 위의 한 점을 이은 선분을 원의 ((반지름), 지름)이라고 합니다.

지름이 길수록 원은 ((커집니다), 작아집니다).

한 원에서 지름은 반지름의 (반, (2배))입니다.

한 원에서 지름의 길이는 모두 ((같습니다), 다릅니다).

원 안에서 그을 수 있는 가장 긴 선분은 원의 (반지름, (지름))입니다.

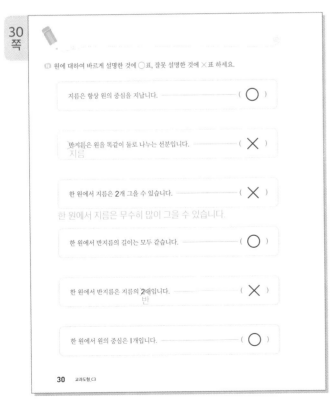

원에 대하여 바르게 설명한 것에 ○표, 잘못 설명한 것에 ✕표 하세요.

지름은 항상 원의 중심을 지납니다. ──── (○)

반지름은 원을 똑같이 둘로 나누는 선분입니다. ──── (✕)
지름

한 원에서 지름은 2개 그을 수 있습니다. ──── (✕)
한 원에서 지름은 무수히 많이 그을 수 있습니다.

한 원에서 반지름의 길이는 모두 같습니다. ──── (○)

한 원에서 반지름은 지름의 2배입니다. ──── (✕)
반

한 원에서 원의 중심은 1개입니다. ──── (○)

3주차 길이 구하기

51일 반지름과 지름

월 일

큰 원 안에 작은 원을 그렸습니다. 빈칸에 알맞은 수를 써넣으세요.

작은 원의 반지름: 1 cm
작은 원의 지름: 2 cm
큰 원의 반지름: 2 cm
큰 원의 지름: 4 cm

작은 원의 반지름: 3 cm
작은 원의 지름: 6 cm
큰 원의 반지름: 6 cm
큰 원의 지름: 12 cm

작은 원의 반지름: 2 cm
작은 원의 지름: 4 cm
큰 원의 반지름: 4 cm
큰 원의 지름: 8 cm

큰 원 안에 작은 원을 그렸습니다. 물음에 답하세요.

작은 원의 반지름은 2cm입니다. 큰 원의 지름은 몇 cm일까요?

작은 원의 지름: 4cm
(= 큰 원의 반지름)
큰 원의 지름: 8cm

(8)cm

큰 원의 지름은 16cm입니다. 작은 원의 반지름은 몇 cm일까요?

큰 원의 반지름: 8cm
(= 작은 원의 지름)
작은 원의 반지름: 4cm

(4)cm

작은 원의 반지름은 3cm로 같습니다. 큰 원의 지름은 몇 cm일까요?

큰 원의 지름은
작은 원의 반지름 6배와
같습니다. 3×6=18(cm)

(18)cm

32 교과도형_C3

3주. 길이 구하기 33

52일 크기가 다른 원

월 일

선분 ㄱㄴ의 길이를 구해 보세요.

선분 ㄱㄴ의 길이를 구해 보세요.

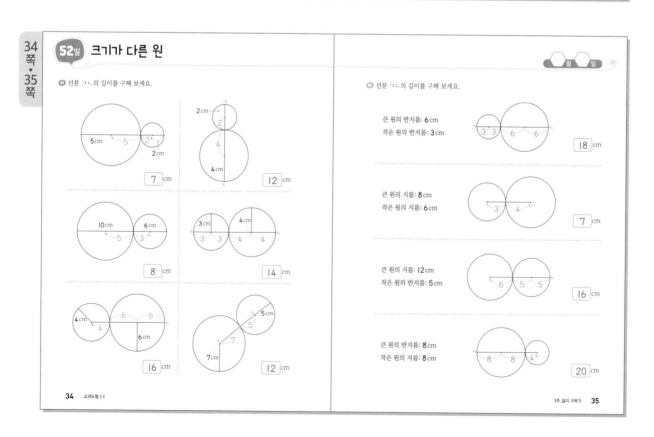

8 교과도형_C3

53일 크기가 같은 원 (1)

❶ 크기가 같은 원을 이어 붙였습니다. 선분 ㄱㄴ의 길이를 구해 보세요.

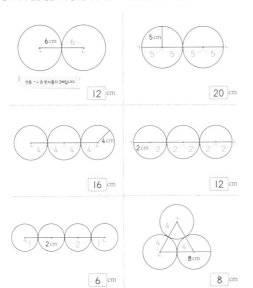

6cm 6

선분 ㄱㄴ은 반지름의 2배입니다.

| 12 |cm

5cm
5 5 5 5

| 20 |cm

4 4 4 4cm

| 16 |cm

2cm 2 2 2 2

| 12 |cm

2cm 2

| 6 |cm

4
4 4
8cm

| 8 |cm

❷ 크기가 같은 원을 이어 붙였습니다. 빈칸에 알맞은 수를 써넣으세요.

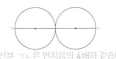

선분 ㄱㄴ: 12cm

원의 반지름: | 3 |cm

선분 ㄱㄴ은 반지름의 4배와 같습니다.
원의 반지름: 12÷4=3(cm)

선분 ㄱㄴ: 8cm

원의 반지름: | 2 |cm

선분 ㄱㄴ은 반지름의 4배와 같습니다.
원의 반지름: 8÷4=2(cm)

선분 ㄱㄴ: 18cm

원의 지름: | 6 |cm

선분 ㄱㄴ은 반지름의 6배와 같습니다.
원의 반지름: 18÷6=3(cm), 원의 지름: 3×2=6(cm)

선분 ㄱㄴ: 12cm

원의 지름: | 4 |cm

선분 ㄱㄴ은 반지름의 6배와 같습니다.
원의 반지름: 12÷6=2(cm), 원의 지름: 2×2=4(cm)

54일 직사각형 안의 원

❶ 직사각형 안에 크기가 같은 원을 꼭 맞게 이어 붙여 그렸습니다. 직사각형의 가로와 세로를 구해 보세요.

원의 반지름: 7cm

㉠ | 14 |cm ㉡ | 14 |cm

직사각형의 가로는 원의 지름과 같습니다.
㉠과 ㉡은 원의 지름과 같습니다.

원의 지름: 10cm

㉠ | 20 |cm ㉡ | 10 |cm

㉠은 원의 지름의 2배,
㉡은 원의 지름과 같습니다.

원의 반지름: 3cm

㉠ | 12 |cm ㉡ | 12 |cm

㉠과 ㉡은 원의 반지름의 4배와
같습니다.

원의 지름: 4cm

㉠ | 12 |cm ㉡ | 8 |cm

㉠은 원의 지름의 3배,
㉡은 원의 지름의 2배와 같습니다.

❷ 물음에 답하세요.

직사각형 안에 반지름이 2cm인 크기가 같은 원 2개를 꼭 맞게 그렸습니다.
직사각형 네 변의 길이의 합은 cm일까요?

(24)cm

직사각형의 긴 변은 원의 반지름의 4배로 8cm,
짧은 변은 원의 반지름의 2배로 4cm입니다.
8+8+4+4=24(cm)

가로가 24cm, 세로가 16cm인 상자 안에 크기가 같은 통조림캔 6개가 꼭 맞게 들어 있습니다. 통조림캔의 반지름과 지름은 각각 몇 cm일까요?

상자의 가로는 원의 반지름의 6배
→ 통조림캔의 반지름: 24÷6=4(cm), 통조림캔의 지름: 4×2=8(cm)
통조림캔의 지름: 4×2=8(cm)

통조림캔의 반지름: (4)cm
통조림캔의 지름: (8)cm

55일 크기가 같은 원 (2)

① 크기가 같은 원을 서로 원의 중심을 지나도록 겹쳐 그렸습니다. 선분 ㄱㄴ의 길이를 구해 보세요.

5cm · 5 · 5 · 5

선분 ㄱㄴ은 반지름의 내배입니다.

20 cm

6 · 6cm

12 cm

3 · 3 · 3 · 3 · 3cm

15 cm

5 · 5 · 5 · 5 · 5
10cm

25 cm

2 · 2 · 2 · 2cm · 2

12 cm

4 · 4 · 4 · 4 · 4
8cm

24 cm

② 크기가 같은 원을 서로 원의 중심을 지나도록 겹쳐 그렸습니다. 빈칸에 알맞은 수를 써넣으세요.

선분 ㄱㄴ: 16cm

원의 반지름: **4** cm

선분 ㄱㄴ은 반지름의 4배와 같습니다.
원의 반지름: $16 \div 4 = 4$(cm)

선분 ㄱㄴ: 25cm

원의 반지름: **5** cm

선분 ㄱㄴ은 반지름의 5배와 같습니다.
원의 반지름: $25 \div 5 = 5$(cm)

선분 ㄱㄴ: 18cm

원의 지름: **6** cm

선분 ㄱㄴ은 반지름의 6배와 같습니다.
원의 반지름: $18 \div 6 = 3$(cm), 원의 지름: $3 \times 2 = 6$(cm)

선분 ㄱㄴ: 14cm

원의 지름: **4** cm

선분 ㄱㄴ은 반지름의 7배와 같습니다.
원의 반지름: $14 \div 7 = 2$(cm), 원의 지름: $2 \times 2 = 4$(cm)

⑬ 물음에 답하세요.

직사각형 안에 크기가 같은 원 4개를 원의 중심이 지나도록 겹쳐 그렸습니다. 원의 지름이 8cm라면 직사각형의 긴 변과 짧은 변은 각각 몇 cm일까요?

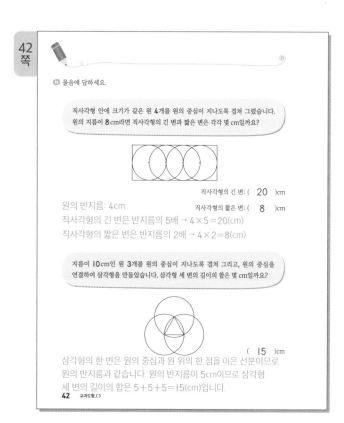

직사각형의 긴 변: (**20**)cm
직사각형의 짧은 변: (**8**)cm

원의 반지름: 4cm
직사각형의 긴 변은 반지름의 5배 → $4 \times 5 = 20$(cm)
직사각형의 짧은 변은 반지름의 2배 → $4 \times 2 = 8$(cm)

지름이 10cm인 원 3개를 원의 중심이 지나도록 겹쳐 그리고, 원의 중심을 연결하여 삼각형을 만들었습니다. 삼각형 세 변의 길이의 합은 몇 cm일까요?

(**15**)cm

삼각형의 한 변은 원의 중심과 원 위의 한 점을 이은 선분이므로 원의 반지름과 같습니다. 원의 반지름이 5cm이므로 삼각형 세 변의 길이의 합은 $5 + 5 + 5 = 15$(cm)입니다.

4주차 원 그리기

56일 컴퍼스 이용하기

① 왼쪽만큼 컴퍼스를 벌리고, 주어진 점을 원의 중심으로 하는 원을 그려 보세요. 그린 원의 지름을 자로 재어 보세요.

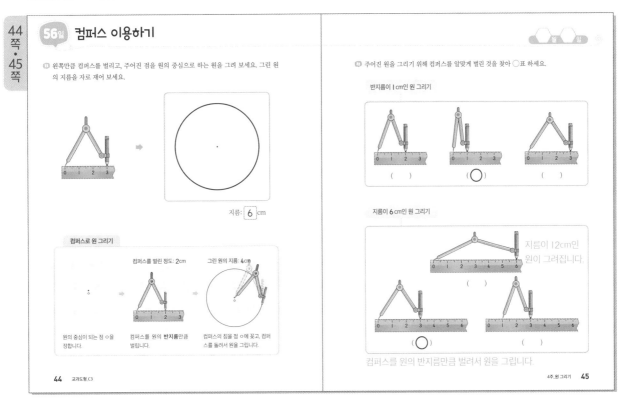

지름: 6 cm

컴퍼스로 원 그리기

컴퍼스를 벌린 정도: 2cm · 그린 원의 지름: 4cm

원의 중심이 되는 점 ㅇ을 정합니다.

컴퍼스를 원의 **반지름**만큼 벌립니다.

컴퍼스의 침을 점 ㅇ에 꽂고, 컴퍼스를 돌려서 원을 그립니다.

① 주어진 원을 그리기 위해 컴퍼스를 알맞게 벌린 것을 찾아 ○표 하세요.

반지름이 1cm인 원 그리기

지름이 6cm인 원 그리기

지름이 12cm인 원이 그려집니다.

컴퍼스를 원의 반지름만큼 벌려서 원을 그립니다.

57일 원 완성하기

① 컴퍼스를 이용하여 원을 완성해 보세요.

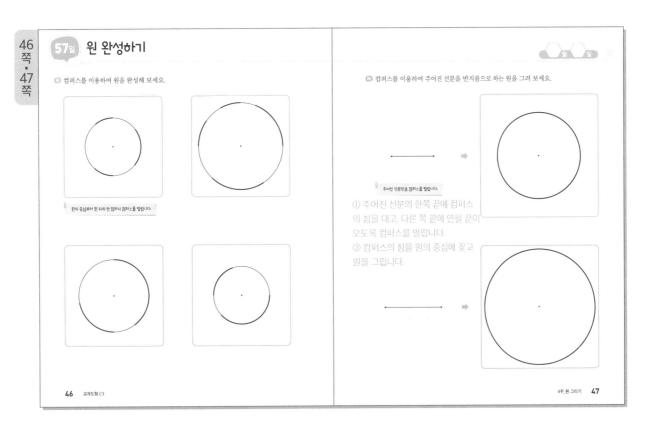

원의 중심부터 원 위의 한 점까지 컴퍼스를 벌립니다.

② 컴퍼스를 이용하여 주어진 선분을 반지름으로 하는 원을 그려 보세요.

주어진 선분만큼 컴퍼스를 벌립니다.

① 주어진 선분의 한쪽 끝에 컴퍼스의 침을 대고, 다른 쪽 끝에 연필 끝이 오도록 컴퍼스를 벌립니다.
② 컴퍼스의 침을 원의 중심에 꽂고 원을 그립니다.

58일 크기가 같은 원 그리기

① 컴퍼스를 이용하여 왼쪽 원과 크기가 같은 원을 그려 보세요.

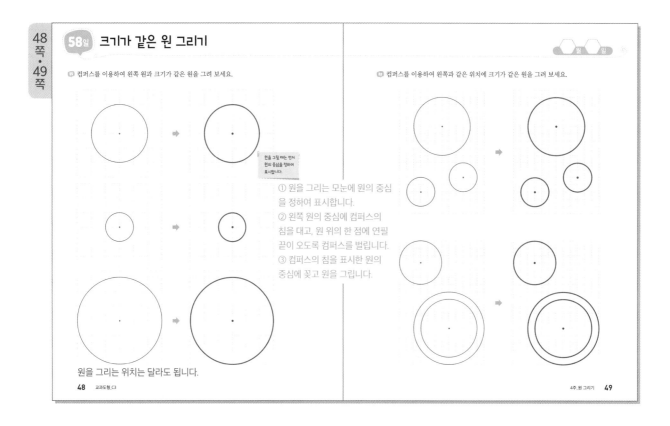

원을 그릴 때는 먼저 원의 중심을 정하여 표시합니다.

① 원을 그리는 모눈에 원의 중심을 정하여 표시합니다.
② 왼쪽 원의 중심에 컴퍼스의 침을 대고, 원 위의 한 점에 연필 끝이 오도록 컴퍼스를 벌립니다.
③ 컴퍼스의 침을 표시한 원의 중심에 꽂고 원을 그립니다.

① 컴퍼스를 이용하여 왼쪽과 같은 위치에 크기가 같은 원을 그려 보세요.

원을 그리는 위치는 달라도 됩니다.

48 교과도형_C3

4주_원 그리기 **49**

59일 길이에 맞는 원 그리기

① 컴퍼스를 이용하여 주어진 길이의 원을 그려 보세요.

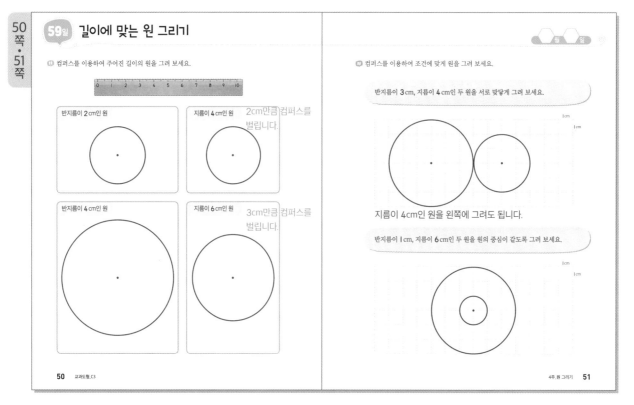

반지름이 2cm인 원

지름이 4cm인 원

2cm만큼 컴퍼스를 벌립니다.

반지름이 4cm인 원

지름이 6cm인 원

3cm만큼 컴퍼스를 벌립니다.

① 컴퍼스를 이용하여 조건에 맞게 원을 그려 보세요.

반지름이 3cm, 지름이 4cm인 두 원을 서로 맞닿게 그려 보세요.

1cm

1cm

지름이 4cm인 원을 왼쪽에 그려도 됩니다.

반지름이 1cm, 지름이 6cm인 두 원을 원의 중심이 같도록 그려 보세요.

1cm

1cm

50 교과도형_C3

4주_원 그리기 **51**

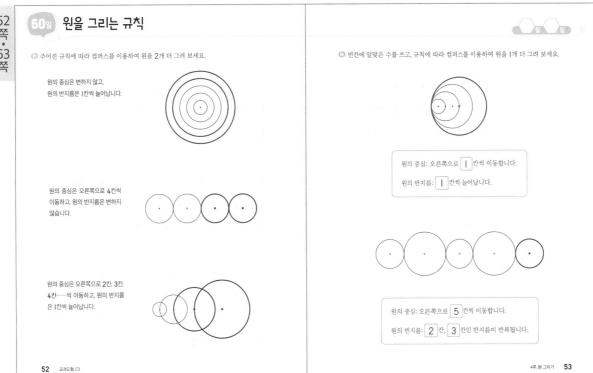

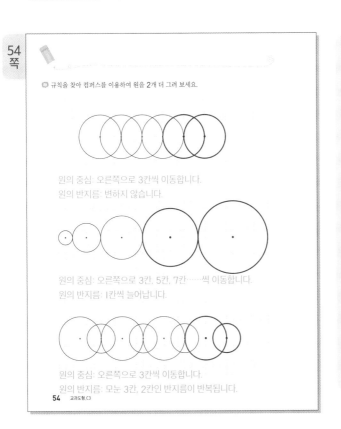

60일 원을 그리는 규칙

주어진 규칙에 따라 컴퍼스를 이용하여 원을 2개 더 그려 보세요.

원의 중심은 변하지 않고,
원의 반지름은 1칸씩 늘어납니다.

원의 중심은 오른쪽으로 4칸씩
이동하고, 원의 반지름은 변하지
않습니다.

원의 중심은 오른쪽으로 2칸, 3칸,
4칸……씩 이동하고, 원의 반지름
은 1칸씩 늘어납니다.

빈칸에 알맞은 수를 쓰고, 규칙에 따라 컴퍼스를 이용하여 원을 1개 더 그려 보세요.

원의 중심: 오른쪽으로 1 칸씩 이동합니다.

원의 반지름: 1 칸씩 늘어납니다.

원의 중심: 오른쪽으로 5 칸씩 이동합니다.

원의 반지름: 2 칸, 3 칸인 반지름이 반복됩니다.

규칙을 찾아 컴퍼스를 이용하여 원을 2개 더 그려 보세요.

원의 중심: 오른쪽으로 3칸씩 이동합니다.
원의 반지름: 변하지 않습니다.

원의 중심: 오른쪽으로 3칸, 5칸, 7칸……씩 이동합니다.
원의 반지름: 1칸씩 늘어납니다.

원의 중심: 오른쪽으로 3칸씩 이동합니다.
원의 반지름: 모눈 3칸, 2칸인 반지름이 반복됩니다.

[컴퍼스로 원을 그릴 때 주의할 점]

1. 컴퍼스에 연필을 꽂을 때는
컴퍼스의 침 끝과 연필 끝을
같게 맞춥니다.

2. 원의 중심에 침을 꽂은 다음,
컴퍼스의 위쪽을 잡고 한 바퀴
돌립니다.

3. 컴퍼스를 돌릴 때는 벌어진
정도가 달라지지 않도록 주의
하면서 원을 그립니다.

도형플러스✦ 모양 그리기

PLUS 1 원의 일부 그리기

▶ 컴퍼스를 이용하여 선을 따라 원의 일부를 그려 보세요.

▶ 컴퍼스를 이용하여 왼쪽 모양과 똑같이 그려 보세요.

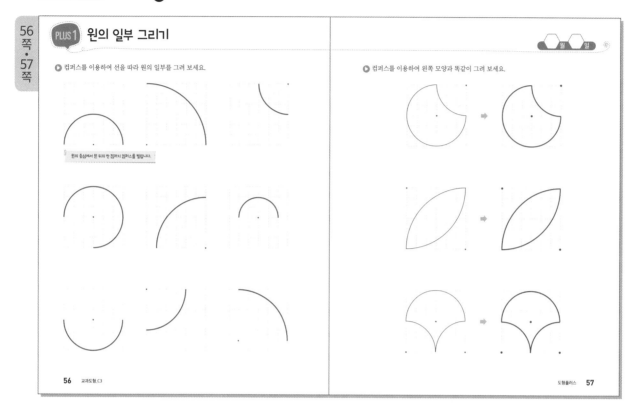

원의 중심에서 원 위의 한 점까지 컴퍼스를 벌립니다.

56 교과도형_C3

도형플러스 57

PLUS 2 침을 꽂는 위치

▶ 컴퍼스로 주어진 모양을 그리기 위해 침을 꽂아야 하는 곳을 모두 표시해 보세요.

▶ 컴퍼스로 주어진 모양을 그리기 위해 침을 꽂아야 하는 곳은 모두 몇 군데인지 세어 보세요.

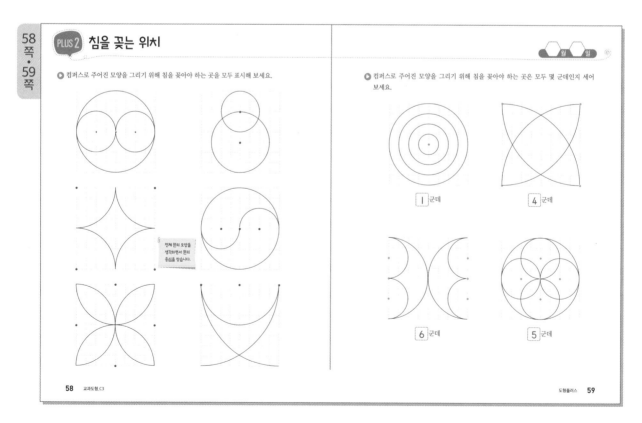

전체 원의 모양을 생각하면서 원의 중심을 찾습니다.

58 교과도형_C3

도형플러스 59

PLUS 3 모양 그리기

▶ 컴퍼스를 이용하여 왼쪽 모양과 똑같이 그려 보세요.

▶ 자와 컴퍼스를 이용하여 왼쪽 모양과 똑같이 그려 보세요.

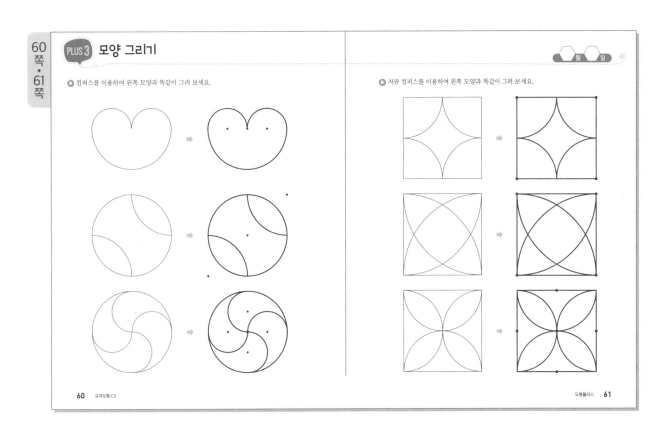

64
쪽
·
65
쪽

형성평가 1회

1 원의 중심을 찾아 써 보세요.

(점 ㄴ)

2 원의 반지름은 몇 cm일까요?

8cm
10cm

지름이 10cm이므로
반지름은 반인 5cm입니다.

(5)cm

3 빈칸에 알맞은 수를 써넣으세요.

반지름이 4cm인 원의 지름은 8 cm입니다.

지름이 6cm인 원을 그리려면 컴퍼스를 3 cm만큼 벌려야 합니다.

4 작은 원의 반지름은 4cm입니다. 큰 원의 지름은 몇 cm일까요?

작은 원의 지름: 8cm
(= 큰 원의 반지름)
큰 원의 지름: 16cm

(16)cm

5 반지름이 2cm인 원 4개를 이어 붙였습니다. 선분 ㄱㄴ의 길이는 몇 cm일까요?

(12)cm

선분 ㄱㄴ의 길이는 반지름의 6배와 같습니다.
2×6=12(cm)

6 가로가 6cm, 세로가 2cm인 직사각형 안에 크기가 같은 원 3개를 꼭 맞게 그리려고 합니다. 원의 반지름은 몇 cm로 해야 할까요?

6cm
2cm

(1)cm

66
쪽
·
67
쪽

형성평가 2회

1 원의 반지름을 나타내는 선분을 모두 써 보세요.

선분 ㅇㅂ, 선분 ㅇㄴ,
선분 ㅇㅁ
또는 선분 ㅂㅇ, 선분 ㄴㅇ, 선분 ㅁㅇ

2 컴퍼스를 다음과 같이 벌려서 원을 그렸습니다. 그린 원의 지름은 몇 cm일까요?

(4)cm

3 원에 대하여 바르게 설명한 것의 기호를 모두 써 보세요.

㉠ 지름은 원을 똑같이 둘로 나누는 선분입니다.
㉡ 한 원에서 원의 중심은 무수히 많습니다.
㉢ 한 원에서 반지름은 지름의 2배입니다.
㉣ 한 원에서 지름의 길이는 모두 같습니다.

한 원에서 원의 중심은
1개입니다.
한 원에서 반지름은
지름의 반입니다.

(㉠, ㉣)

4 원의 중심을 같게 하여 그린 모양에 ○표 하세요.

(○)   (   )   (   )

5 지름이 6cm인 원 4개를 서로 원의 중심을 지나도록 겹쳐 그렸습니다. 선분 ㄱㄴ의 길이는 몇 cm일까요?

원의 반지름: 3cm
선분 ㄱㄴ은 반지름의 5배와 같습니다.
선분 ㄱㄴ: 3×5=15(cm)

(15)cm

6 빈칸에 알맞은 수를 쓰고, 규칙에 따라 컴퍼스를 이용하여 원을 2개 더 그려 보세요.

원의 중심은 오른쪽으로 3 칸씩 이동하고, 원의 반지름은 변하지 않습니다.

"한 권이면 충분합니다."

도형을 다양한 문장과 그림,
수식으로 표현합니다.

감각
sense

도형 학습의 바탕이 되는
공간감각을 길러줍니다.

표현
expression

측정
measurement

측정을 더하여
도형 학습을 완성합니다.

교과연산 교과도형 교과특강은

최신 개정된 교과서 단원과 학교 수업 진도에 맞추어

교과 수학을 체계적으로 다루어 주는 최신 수학 프로그램 입니다.

" 수학 잘 하는 아이들의 첫 번째 연산교재! "

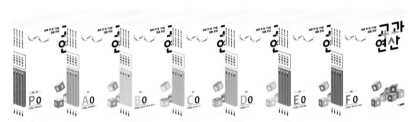

❶ **교과연계** 최신 개정 교과서 단원 및 학교 수업 진도와 철저 연계

❷ **수특강** 수(數)와 연산 분리, 수특강을 통한 수 영역 집중 학습

❸ **집중연산** 식을 세우고 문제를 해결하는 상황 판단 능력 학습

" 도형 자신감이 수학 자신감입니다! "

❶ **도형측정** 다양한 그림, 수식으로 도형 서술형 문장제 완벽 대비

❷ **도형표현** 여러 가지 소재로 비교, 측정하여 더욱 완성된 도형 학습

❸ **공간감각** 도형플러스로 공간감각을 한 단계 UP!

" 교과수학을 완성합니다! "

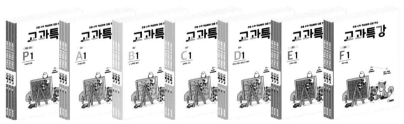

❶ **측정** 양을 측정하고 어림하며 실생활의 수 감각 향상

❷ **규칙성** 수와 도형, 계산식의 배열에서 규칙을 찾는 사고력 학습

❸ **자료 해석** 표와 그래프를 해석하여 추론 능력과 문제해결력 향상

하루 한 장 60일 집중 완성 교과도형

"한 권이면 충분합니다."

도형을 다양한 문장과 그림,
수식으로 표현합니다.

감각
sense

표현
expression

측정
measurement

도형 학습의 바탕이 되는
공간감각을 길러줍니다.

측정을 더하여
도형 학습을 완성합니다.

제품명: 하루 한 장 60일 집중 완성 교과도형
제조사명: 히어로컨텐츠
기획, 집필: 두줄수학연구소
제조국명: 대한민국
전화번호: 02-862-2220
주소: 서울특별시 금천구 서부샛길 632, 7층(대륭테크노타운 5차)
제조년월: 판권에 별도 표기
사용연령: 7세 이상

값: 8,500원

64410

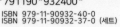

ISBN 979-11-90932-40-0
ISBN 979-11-90932-37-0 (세트)

하루 한 장 60일 집중 완성

교과도형

B1

여러 가지 도형

에듀히어로 교재 로드맵

구분		하루 한 장 75일 집중 완성 교과연산		하루 한 장 60일 집중 완성 교과도형	초등 수학 핵심파트 집중 완성 교과특강
연령	단계	수	연산	도형	측정, 규칙성, 자료와 가능성
7세 ~ 1학년	P단계	P0	P1, P2, P3	P1, P2, P3	P1, P2, P3
1학년	A단계	A0	A1, A2, A3	A1, A2, A3	A1, A2, A3
2학년	B단계	B0	B1, B2, B3	B1, B2, B3	B1, B2, B3
3학년	C단계	C0	C1, C2, C3	C1, C2, C3	C1, C2, C3
4학년	D단계	D0	D1, D2, D3	D1, D2, D3	D1, D2, D3
5학년	E단계	E0	E1, E2, E3	E1, E2, E3	E1, E2, E3
6학년	F단계	F0	F1, F2, F3	F1, F2, F3	F1, F2, F3

교재 선택 TIP

1. 한 단계 아래에서 시작하여 현재 학년을 넘어서는 것을 목표로 선택해 주세요.
2. 교과연산의 경우 '수특강'을 먼저 학습한 후 집중연산 1, 2, 3권을 차례대로 학습합니다.
3. 교과도형과 교과특강은 1, 2, 3권을 차례대로 학습합니다.

에듀히어로 지원 채널

네이버(): http://cafe.naver.com/eduherocafe

인스타그램(): @edu__hero

카카오톡(): 에듀히어로

1. 답안지 분실 시 다운로드
2. 교육정보, 학습자료, 커리큘럼 공유
3. 교육모임 등 기타